일러스트를 위한 투시도법

요시다 세이지 작품집

& 원근법 테크닉

일러스트를 위한 투시도법

요시다 세이지 작품집

& 원근법 테크닉

Original Japanese Edition Staff
Art direction and design: Mitsugu Mizobata(ikaruga.)
Photographs: Masashi Nagao(156-157p)
Editing: Maya Iwakawa, Miu Matsukawa,Atelier Kochi
Proof reading: Yuko Sasaki
Planning and editing: Sahoko Hyakutake(GENKOSHA CO., Ltd.)

ISBN 978-89-314-6590-7
ISBN 978-89-314-5990-6(세트)

독자님의 의견을 받습니다

이 책을 구입한 독자님은 영진닷컴의 가장 중요한 비평가이자 조언가입니다. 저희 책의 장점과 문제점이 무엇인지, 어떤 책이 출판되기를 바라는지, 책을 더욱 알차게 꾸밀 수 있는 아이디어가 있으면 팩스나 이메일, 또는 우편으로 연락주시기 바랍니다. 의견을 주실 때에는 책 제목 및 독자님의 성함과 연락처(전화번호나 이메일)를 꼭 남겨 주시기 바랍니다. 독자님의 의견에 대해 바로 답변을 드리고, 또 독자님의 의견을 다음 책에 충분히 반영하도록 늘 노력하겠습니다.

파본이나 잘못된 도서는 구입처에서 교환 및 환불해드립니다.

이메일 : support@youngjin.com
주 소 : (우)08507 서울특별시 금천구 가산디지털1로 128 STX-V타워 4층 401호 (주) 영진닷컴 기획1팀
등 록 : 2007. 4. 27. 제16-4189호

STAFF

저자 요시다 세이지 | **번역** 고영자 | **총괄** 김태경 | **기획** 김연희 | **디자인 · 편집** 김효정 | **영업** 박준용, 임용수, 김도현 |
마케팅 이승희, 김근주, 조민영, 채승희, 김민지, 임해나 | **제작** 황장협 | **인쇄** 예림인쇄

일러스트를 위한 투시도법

요시다 세이지 작품집

& 원근법 테크닉

YoungJin.com Y.
영진닷컴

Contents

Antique
Original work

Waterhole
Original work

Fairytale
새로운 작품

Gallery

Dining
새로운 작품

Derelicts
새로운 작품

계단 문고
Original work

OPEN
坂道

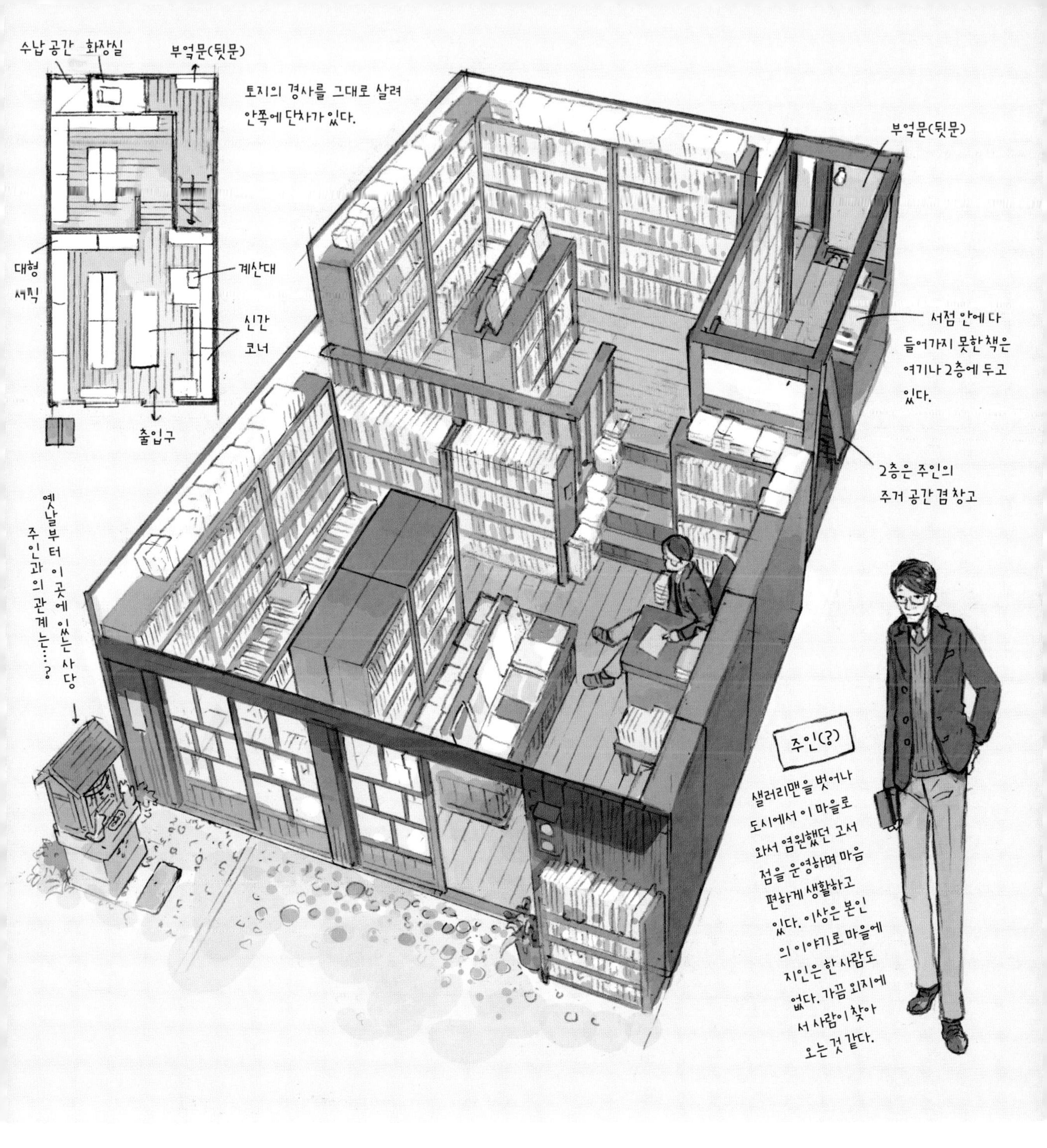

계단당 서점

Kaidan-do Book Store

Original work

바다로 이어지는 언덕길 중간에 있는 이 서점은 오래된 민가를 개조하여 만든 것으로, 경사진 땅이기 때문에 가게 안에도 단차가 있는 것이 특징이다. 가게 주인의 취미인 신간이나 고서를 취급하고 있지만 아무래도 취미로 경영하고 있는 것 같고 매우 번성하고 있는 것 같지는 않다.

鵺(전설의 괴물)

Nue

Original work

일본에서 예로부터 전해지는 요괴. 『헤이케 모노가타리(平家物語)』에는 요괴 퇴치로 유명한 미나모토노 요리미쓰의 후손 요리마사가 활을 쏘아 퇴치했다고 적혀 있다. 일반적으로 원숭이의 머리, 너구리의 몸통, 호랑이의 사지, 뱀의 꼬리로 묘사되지만 그 모습은 문헌에 따라 다르며 여우의 꼬리가 되기도 하고 닭의 몸통이 되기도 하며, 고양이의 머리가 되기도 한다. 기분 나쁜 소리로 운다는 일화에서 기인하여 정체 모를 현상이나 인물을 누에(鵺)라고 부르기도 한다.

재방문
Original work

터널
Original work

경내
Original work

산책길
Original work

세출(洗出)
Original work

자오선
Original work

Framing
Original work

Yellow river
Original work

폐차체
Original work

Trailer
Original work

Doghouse
Original work

Shades
Original work

Bookstore
Original work

Dormitory(위)
Original work

raccourci(아래)
Original work

Location
Original work

도쿄 소년 좋은 날
Original work

골목을 빠져나와
Original work

저승사자

Death

Original work

저승사자란 존재는 서양 특유의 것으로, 영혼을 빼앗는 역할뿐만 아니라 방황하는 영혼을 인도하는 자로도 그려지는 경우가 많다. 가장 유명한 것은 묵시록에 묘사되어 있는 창백한 말을 타고 나타나는 '죽음'일 것이다. 일본에서는 '신(神)'이라는 이름이 붙어 있지만, 일신교가 중심인 서양에서는 신이 아니라 악마의 권속이라는 속성에 가까울 것이다. 여기에 그려진 저승사자는 어느 쪽인가 하면 야생 생물과 같고 죽음을 가져오는 사람이라기보다는 죽음에 몰려다니는 것이라고 부르는 쪽이 적합해 보인다.

Straight
Original work

Backyard(위)
Original work

Submarine(아래)
Original work

Salamander
Original work

고성 순례
Original work

안개 저편의 무언가

Something in the haze

Original work

예로부터 일본에서 '신(神)'이란 고마움과 동시에 재액을 실어 오는 존재이기도 하였다. 오곡의 풍양을 가져오는 대신 그 기분을 상하게 하면 재앙과 돌림병이 일어난다고 믿어 경외하는 마음으로 모셔진 것이다. 또한 지방에서는 그 지역 각각의 신이 지역을 지배하고 있으며, 신사라는 것의 통일성은 이름뿐이고 각 지방을 비교하면 각각 독자적인 신앙을 구축하고 있다. 그러한 점에서 모종의 접근하기 어려운 것으로서의 '신'이라는 개념은 현재에도 건재하며, 신사 등의 신역에서는 부정한 것을 멀리하는 대신 더 막강하고 정체를 알 수 없는 뭔가의 존재가 느껴지기도 한다.

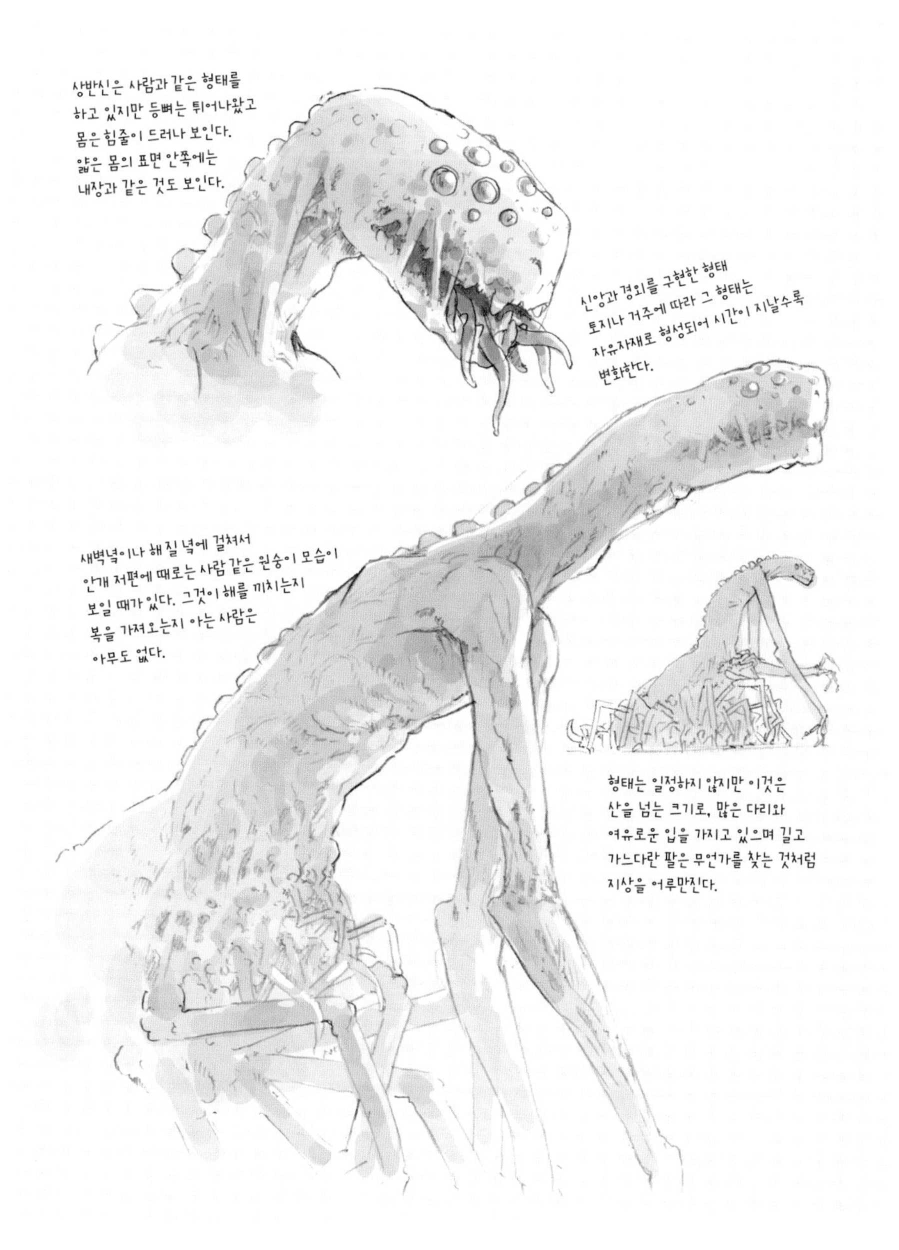

Samhain(왼쪽)
Original work

Pilgrim(오른쪽)
Original work

어둠지기
Original work

Planter
Original work

Mushrooms
Original work

Cranberry
Original work

Overflow
Original work

Solitary
Original work

Boundary
Original work

Crevice

Original work

Sunset
Original work

「CLIP STUDIO PAINT PRO 공식 가이드 북」
게재 일러스트

「건축지식 2019년 10월 호」
표지 일러스트

「아름다운 정경 일러스트레이션 매력적인 풍경을
그리는 크리에이터스 파일」
(PIE International / 2017년)표지 일러스트

「코르누토피아」 표지 일러스트

「클래식 카메라 소녀+1」
게재 일러스트(왼쪽 페이지 위)

「구성이문 제1문 그가 죽어야 했던 이유」
잡지 게재 일러스트(왼쪽 페이지 아래)

「스노우 래빗(Snow rabbit)」 표지 일러스트(오른쪽 페이지 위)

「카르타그라 오피셜 팬북」
게재 일러스트(오른쪽 페이지 아래)

철저한 퍼스 테크닉

풍경과 배경을 그리기 위한 효과적인 테크닉을 설명합니다.
퍼스를 이해하지 못하더라도 그림을 그릴 수 있는 기법부터 제대로 배운 사람도
적용하기 쉬운 퍼스의 기술까지 다양한 테크닉을 소개합니다.
자신의 그림에 활용해 보세요.

by 요시다 세이지

그림을 그리는 5가지 방법

1 즐겁게 그리기

2 그림에 「틀림」은 없다

3 「부끄럽다」의 정의

4 모방에서 배운다

5 가끔은 휴식한다

1 즐겁게 그리기

가장 중요한 항목입니다. 성실하게만 그리면 안 됩니다. 재미없으면 실력이 늘지 않습니다. 즐기면서 그리면 실력이 점점 늘게 됩니다. 생각하는 것도 중요하지만, 가장 중요한 것은 즐기는 것입니다. 즐기지 못하면 일단 멈춰도 됩니다.

2 그림에 「틀림」은 없다

그림은 자유입니다. 실수가 있다면 그것은 어떤 목적을 설정한 경우에만 생깁니다. 「투시도법이 잘못되었다」라는 것이 단점이 되는 경우는 「정확한 투시도법으로 그리는 것」을 목적으로 하는 경우입니다. 투시도법은 틀려도 됩니다. 목적에 방해만 되지 않으면 어떤 색을 사용해도, 데생이 잘못되어 있어도, 화면 안에 소실점이 3개 존재해도 됩니다.

그럼 무엇을 위해 그림을 그릴까요? 그것부터 다시 생각해 봅시다. 「틀림」이 없다는 것은 절대적인 「정답도 없다는 것」입니다. 그래서 그림은 재미있지만, 그래서 더 힘든 것도 있습니다. 고심 끝에 탄생한 표현은 재미있습니다.

3 「부끄럽다」의 정의

표현이라는 것은 남에게 자기의 의견을 밝히는 것으로, 부끄러운 생각이 드는 것은 당연합니다. 오히려 부끄러운 표현이 더 남에게 인정받기 쉽습니다.

그래도 부끄러울 때는 자기가 좋아하는 작품을 생각합니다. '그 작품의 어디가 좋은지? 제일 좋아하는 곳은? 그것을 다른 사람에게 말하는 것이 좀 부끄럽지 않은지?' 표현도 그와 같습니다. 주변 사람들은 그렇게까지 신경 쓰지 않는데, 부끄러워하면 즐겨주지 않습니다. 당당하게 표현하면 의외로 즐거워해 줍니다. 그것이 표현의 정의입니다.

4 모방에서 배운다

처음부터 바로 창작할 수 있는 사람은 없습니다. 참고하거나 흉내 내기 위해 다른 작품을 보는 것도 중요합니다. 참고한 작품이 하나뿐이라면 모방이지만, 100점을 참고하면 오리지널이 됩니다. 일단은 흉내 내는 것부터 시작하세요. 다양한 작품을 따라 하고, 완벽하게 따라 하지 못하는 부분이 생기면 그것을 새롭게 그리기 시작하세요. 그것이야말로 오리지널이 됩니다.

5 가끔은 휴식한다

어느 정도는 스트레스를 받아야 좋은 그림을 그릴 수 있지만, 잠도 자지 않고 그리면 오히려 질은 떨어집니다. 무엇보다, 잠을 푹 자고 난 날의 오전에는 일의 진행이 전혀 다릅니다(개인차가 있습니다).

체력 단련도 중요합니다. 주변 사람들 말을 믿지 않았는데, 30살이 넘어가니 체력이 뚝 떨어져서 그림을 그리는 게 힘들어 깜짝 놀랐습니다. 운동을 했더니 다행히도 회복되었습니다. 세밀한 배경은 체력 승부이므로 평소에 체력 훈련을 하고 잘 잡시다.

칼럼은 읽지 말 것

이 책은 페이지에서 좀 허전한 공간을 메우기 위해 본문과 관계없는 것들을 칼럼으로 정리했습니다. 따라서 진지하게 읽으려 하지 말고 건너뛰어도 됩니다. 생각날 때 책을 훌훌 넘기면서 한번 읽어 주세요.

※다음 칼럼 : p.85 일상적으로 크기를 재려면

01 퍼스는 한번쯤 잊자

퍼스를 사용하지 않고 그리는 배경

배경을 그릴 때 걸리는 게 퍼스입니다. 더이상 퍼스라는 말조차 보고 싶지 않다는 의견을 자주 듣습니다. 저도 매번 퍼스를 딱딱 정해서 그리지는 않습니다. 퍼스를 신경 쓸 때는 그것이 필요한 경우입니다. 퍼스를 너무 의식하지 않고 그리려면 어떻게 해야 하는지 먼저 소개하겠습니다.

예를 들어 '학교 복도'를 그릴 때 아무 생각 없이 그리면 대부분 다 이런 그림을 그리려고 합니다. 하지만 이렇게 그리기는 힘들고 프로 또한 이 그림을 그리는데 10분 이상 걸립니다.

단순히 학교 복도를 전달하고 싶은 것뿐이라면 이건 너무 수고하는 겁니다.

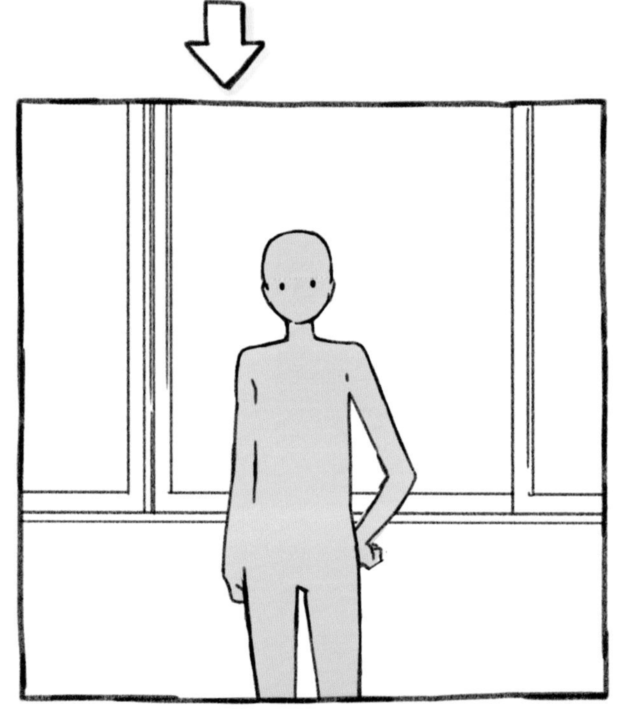

이쪽이라면 어떨까요?
훨씬 편하게 그릴 수 있습니다. 소실점이나 아이레벨 등 귀찮은 건 다 무시하고 그냥 크기만 맞춰 놓으면 부자연스럽지 않을 정도로 그릴 수 있습니다.

무엇보다 만하 속의 한 컷 정도라면 목적에 따라 이 그림이 정보량이 더 제한되어 좋은 그림이 될 수도 있습니다.

그릴 때의 요령

우선 지면(바닥면)으로부터의 높이를 맞추기만 하면 어떻게든 됩니다.

먼저, 인물의 전신 그림을 상정해 지면의 위치를 정하고 그것을 기준으로 창틀의 하단(대체로 바닥으로부터 90cm)의 선을 대략 그립니다. 나머지는 그것을 기준으로 다른 것들도 대충 맞춰 가면서 그리면 일단 위화감이 없는 그림을 그릴 수 있습니다.

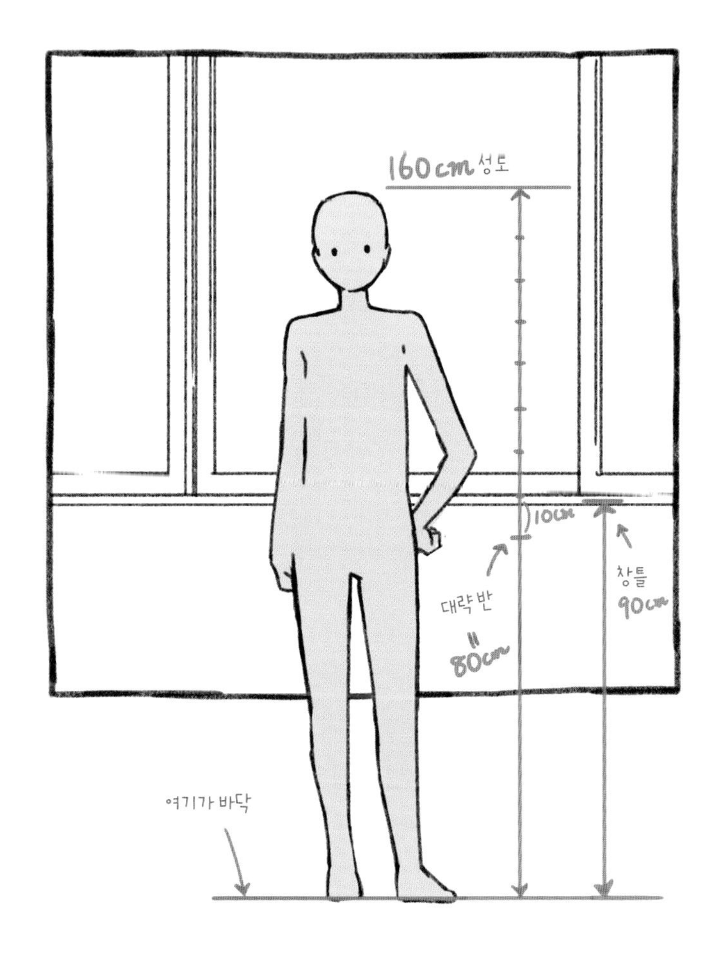

그리기

그릴 수 있는 범위에서 세부를 더 그릴 수 있으면 더욱 좋습니다. 주의해야 할 점은 대체로 다음과 같습니다.

- 멀리 있는 것일수록 작게 그린다.
- 자료 사진을 보고 세부적인 것을 참고한다.
- 보여 주고 싶은 것은 그림자를 그려 강조한다.
- 멀리 있는 것과 가까이 있는 것을 그려 원근에 변화를 준다.

크기를 맞추어 그린다

크기를 맞추기만 하면 평면적으로 되기 쉽지만, 연구하기에 따라 얼마든지 공간이 느껴지는 그림이 될 수도 있습니다. 이를 위해 도움이 되는 몇 가지 팁을 소개합니다.

인물을 기준으로 한다

우선 인물을 기준으로 하여 그리고자 하는 것의 크기를 정합니다. 높이와 폭만이라도 맞추도록 합니다. 인물보다 안쪽에 있는 것은 인물보다 조금 작고 앞에 있는 것은 커집니다. 그렇지만 극단적으로 크기를 바꾸면 이상해지기 때문에 기본 크기는 거의 바꾸지 않도록 합니다.

접지하지 않으면 편하다

지면(바닥)에서 떨어지면 접지의 정합성에 신경 쓰지 않아도 됩니다. 의자에 앉히거나 띄우거나 해서 얼버무리면 편합니다. 그냥 멍하니 서 있는 것보다 이야기가 생기기 쉽습니다.

식물 등으로 가린다

그릴 것이 없거나 귀찮을 때는 식물을 그려서 눈속임합니다. 크게 그려 어둡게 하면 전경과 후경이 나뉘어 그림에 신축성이 생깁니다.

자료로 설득력을 키운다

할 수 있으면 그리고자 하는 것을 실제로 보거나 자료를 살펴보며 세부적인 것을 확인하면 설득력이 생깁니다. 창틀 형태만 봐도 건물 양식에 따라 전혀 다릅니다. 이 그림의 경우는 좀 오래된 양옥의 분위기로 표현하여 설득력이 있습니다.

크기를 비교하자

물건의 크기는 대체로 정해져 있습니다. 오른쪽 이미지를 예로 들면, 실제로는 다양한 크기가 있지만 대략적인 크기는 변하지 않기 때문에 기본 크기를 기억해 두면 좋습니다. 일단 높이와 폭이 맞으면 부자연스럽지는 않습니다. 특히 사람과 나란히 놓았을 때 부자연스럽지 않도록 주의합니다. 이것이 어느 정도 이해가 되면 창틀 등의 폭, 비율, 깊이 등도 신경 쓰도록 합니다.

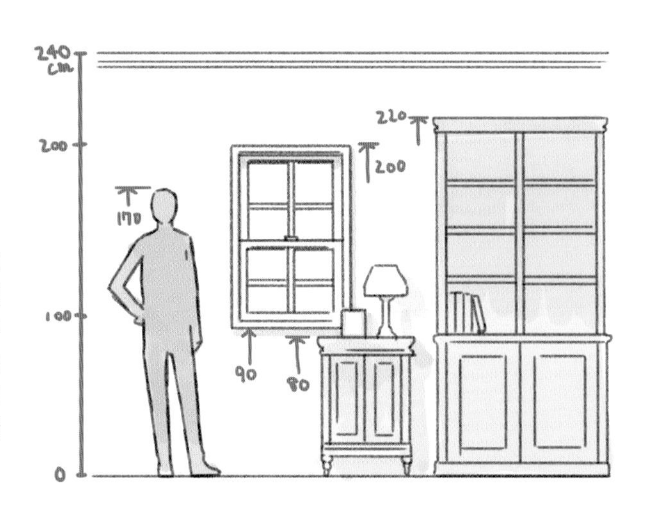

원경을 너무 작게 그리지 않는다

원경은 아주 작게 그리기 쉽지만, 그러면 그려야 할 요소가 너무 많아서 오히려 귀찮아집니다. 인물에 비해 너무 크지 않은 범위면 되기 때문에 조금 더 크게 그리는 것이 편합니다. 접지면도 가려져 그림의 모순이 잘 일어나지 않아 일석이조입니다.

원경뿐이라면 높이는 자유

인물의 접지면이 보이지 않고 배경은 원경뿐이라면 지평선의 높이는 비교적 자유롭게 바꿀 수 있습니다. 아래는 둘 다 올바른 그림이기에 그리고 싶은 분위기에 맞춰 자유롭게 결정해도 됩니다. 그러나 원경과 인물 사이에 다른 무언가가 있는 경우 퍼스가 필요하므로 주의합니다.

기본적인 것의 크기

일상적인 물건의 크기를 기억해두면 그림을 그릴 때 더 편합니다. 모두 10cm 전후로 크기의 차이는 있지만, 일본식 방은 대체로 90cm 정도의 칸 모양으로 되어 있다고 생각하면 쉽습니다. 서양식 방도 문이나 창문, 테이블이나 의자의 크기가 일정합니다. 이것을 사람의 크기에 맞춰서 적절하게 그리는 것만으로도 배경의 설득력이 높아집니다.

일본식 방(와실)의 크기

서양식 방(양실)의 크기

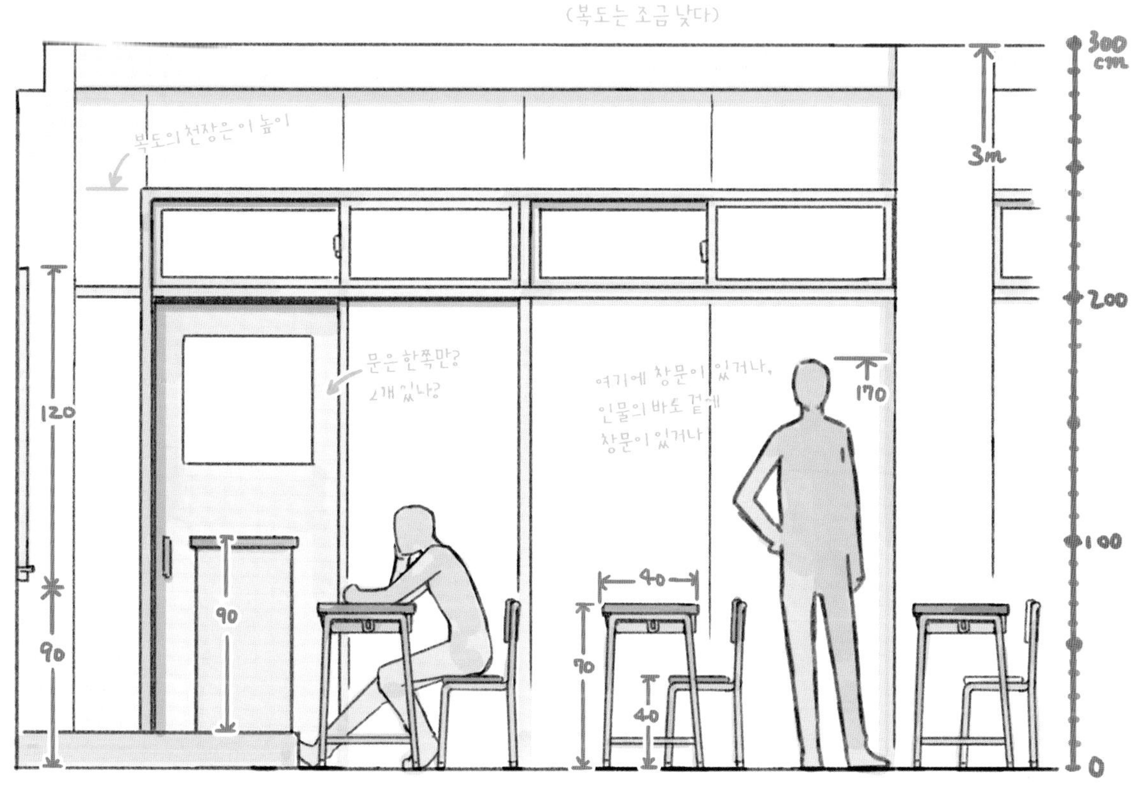

다양한 크기

일상적으로 크기를 재려면

크기가 신경 쓰일 경우 줄자 등으로 측정하는 것이 가장 정확하지만, 항상 줄자를 가지고 다닐 수는 없기 때문에 자신의 몸의 크기를 기억해두면 편리합니다. 제 경우 손바닥이 약 20cm, 손끝에서 팔꿈치가 약 50cm, 양손을 벌리면 180cm 정도인데 그것을 기준으로 하고 있습니다. 궁금하다면 바로 크기를 확인하도록 합시다.

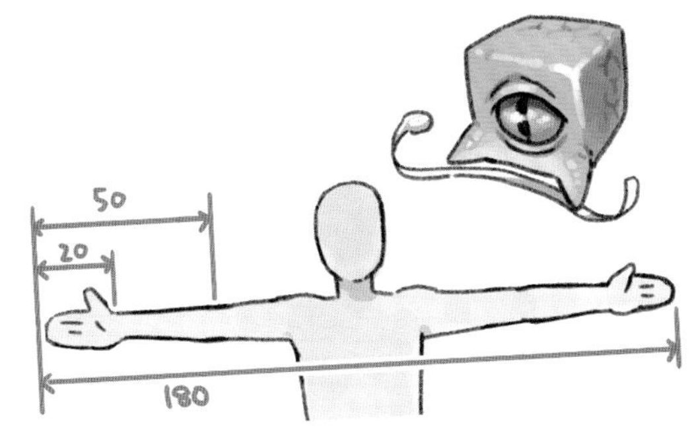

※다음 칼럼 : p.87 차라리 배경 같은 거 안 그리면 안돼?

앙각과 부감도 그려본다

정면 구도뿐이라면 화면이 단조로워지기 쉽기 때문에, 앙각이나 부감의 구도를 그리도록 합니다. 퍼스를 생각하면 성가신 구도이지만, 익숙하지 않더라도 시선을 잘 속이면 그릴 수 없는 것은 없습니다.

앙각 (올려다보는 구도)

인물의 어깨나 얼굴과 평행인 선을 그리고 그림과 같이 각이 진 귀퉁이를 그리면 방다워집니다. 창문이나 문, 커튼, 조명, 에어컨, 포스터 등을 그리면 더욱 좋아지지만, 너무 물건을 늘리면 모순도 일어나기 쉬우므로 주의가 필요합니다.

부감 (내려다보는 구도)

마찬가지로, 인물의 어깨나 얼굴과 평행인 선을 그리고 모퉁이를 그리면 방다워집니다. 바닥과 지면은 천장보다 물건이 많아 모순이 발생하기 쉬우므로 주의합니다.

아예 모서리도 그리지 않는다

창틀이나 조명만으로도 설명이 됩니다.

자연물을 그려 넣는다

나무나 하늘 등 퍼스와 관계없는 것으로 그려 넣습니다.

어지러운 배경으로 눈속임한다

폐허는 의외로 그리기 쉽습니다.

그림자를 넣어 그럴싸하게 만든다

부감의 경우, 긴 그림자를 그리는 것만으로 해결되는 일도 많습니다.

차라리 배경 같은 거 안 그리면 안돼?

최근에는 정밀한 배경 묘사가 인기라서 세세한 프레임이나 캐릭터 중심의 일러스트에까지 배경을 그리고 있습니다. 배경 묘사는 기본적으로 그림의 인상을 무겁게 하여 설명적인 느낌을 줍니다. 정말 이 그림에 배경이 필요한지 한 번 생각해 보고 불필요하다는 생각이 들면 그리지 않는 결단을 내리는 것도 중요합니다.

※다음 칼럼 : p.89 실루엣에 신경을 쓴다

자연을 그럴듯하게 그린다

자연이 많은 풍경은 비교적 퍼스를 신경 쓰지 않고 그릴 수 있기 때문에 눈속임 하고 싶을 때 편리합니다. 그러나 여기서는 이왕 배우는 거 그럴듯한 자연 풍경을 그릴 수 있도록 해봅니다.

위와 같은 그림을 그릴 때, 눌러야 할 부분만 누르면 정확한 퍼스나 소실점 등의 지식은 크게 필요하지 않습니다. 왼쪽 그림에 적어 놓았듯이 실루엣을 겹치거나 먼 것일수록 밀도를 높이거나, 앞을 어두운색으로 빈틈없이 칠하거나 하는 부분을 조심하는 것만으로도 그럴듯한 배경을 만들 수 있습니다.

나머지는 실제 풍경이나 사진을 잘 보고 특징을 포착하는 일이 중요합니다. 산과 나무의 실루엣을 보고 세세한 부분의 균형이나 지형적 특징 등을 살려서 그리고 싶은 풍경을 그립니다. 다만, 매번 이 정도의 그림을 그리는 것은 힘들기 때문에 오른쪽 페이지에 있는 것과 같은 손쉬운 방법도 기억해 두세요.

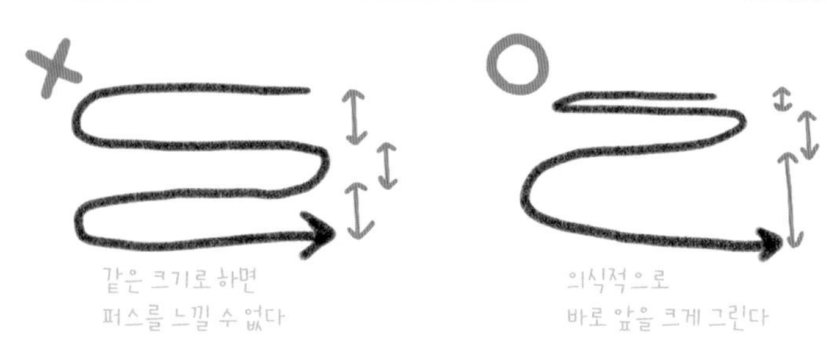

시점을 낮춰서 눈속임한다

시점이 높으면 크기를 잘 알 수 있고 그려 넣는 내용도 많아져 퍼스의 실수가 눈에 띄기 쉽습니다. 시점을 원하는대로 낮추면 크기를 속이기 쉬워집니다. 발을 풀로 가리면 전지면도 눈속임할 수 있습니다.

지그재그를 의식

길, 초지, 산, 구름도 기본적으로 지그재그를 의식해서 배치하면 거리감을 표현하기 쉽고 단조롭지 않습니다.

뭔가를 날린다

화면이 허전할 때는 배경에 새나 솜털, 낙엽, 벚꽃 등을 날립니다.

실루엣에 신경을 쓴다

실루엣을 잘 그리면 그려져 있는 게 무엇인지 쉽게 알 수 있습니다. 좋은 실루엣은 「비슷한 다른 것과 확실히 구별되어 있는」 것입니다. 그것이 사과인지 귤인지 알기 쉽게 하려면 어디를 그리면 좋은지, 경우에 따라서는 다소 변형해서라도 그것을 명확하게 하면 알기 쉬운 그림이 됩니다.

※다음 칼럼 : p.91 배경 업계는 항상 일손 부족

여러 가지 쓸 만한 테크닉

하얗게 날려라!

일단 역광으로 하얗게 날려 버리면 그리지 않아도 됩니다. 창밖, 문이나 문 저편, 밝은 곳은 역광으로 하얗게 날립니다. 모처럼 자료 사진을 준비했는데 역광 때문에 보이지 않는다면, 그림에서도 하얗게 날리면 해결됩니다.

전경으로 가려라!

영화 장면 같은 멋진 화면이 되기 때문에 일석이조입니다. 전경은 먹물 색 등의 단색으로 채색해도 좋고, 2가지 색 정도로 간단하게 채색해도 좋습니다. 전경을 너무 자세하게 그려 넣으면 오히려 메인이 약해집니다.

화면 밖으로 보내라!

시선을 화면 밖으로 보내는 것은 기본입니다. 아슬아슬하게 보내면 구도적으로 멀어지고 있는 느낌이 나오므로 과감히 크게 보내거나 구도를 연구해 보도록 합니다. 빈 공간은 나무나 전봇대 같은 것을 그려서 채우면 됩니다.

그림자 속은 생략하라!

화면에 큰 그림자를 드리우면 여러 가지를 생략할 수 있습니다. 퍼스를 알아보기 어려울 때뿐만 아니라 작화 시간도 단축됩니다.

나무로 가려라!

멀리 있는 귀찮은 부분은 나무로 가립니다. 건물을 하나하나 그리면 힘들지만 나무를 그리면 퍼스는 신경 쓰지 않아도 됩니다.

배경 업계는 항상 일손 부족

그림을 직업으로 하는 사람 중에서도 배경을 메인으로 그리는 사람은 정말로 적어서 만화, 애니메이션, 일러스트 등 어느 업계에서도 배경을 그릴 수 있는 사람을 항상 요구하고 있습니다. 최근에는 스마트폰 업계의 영향이나 아름다운 배경의 수요 자체가 증가하여 전에는 저렴했던 개런티도 점차 올랐지만, 여전히 일손 부족 상태입니다. 무엇보다 배경은 유행을 타지 않아 한 번 그릴 수 있게 되면 평생 먹고 살 수 있습니다. 싫어하는 분은 힘들 수 있지만 그리는 것이 그다지 힘들지 않다면 배경을 그리는 전문가가 되는 길도 생각해 보면 좋을 것입니다.

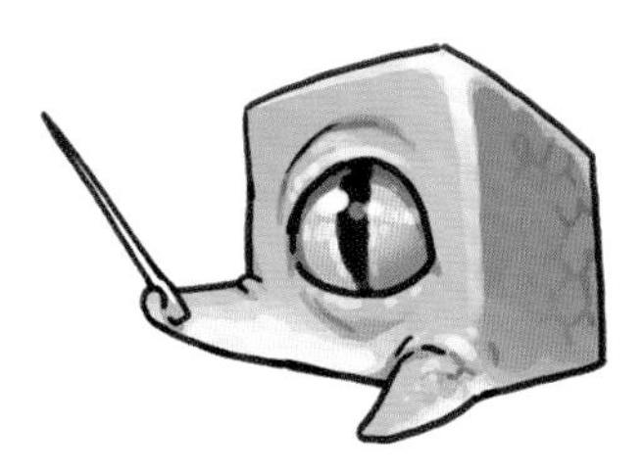

※다음 칼럼 : p.93 권리에 대하여

02 모사를 해보자

모사의 포인트

배경 연습에는 사진 모사를 추천합니다. 투시도법은 몰라도 좋으니 우선 모사를 해봅니다. 여러 가지를 모사하다 보면 배경의 밀도감을 표현하는 방법이나 퍼스를 기입하는 방법을 알게 됩니다. 너무 이론을 따지지 말고 일단 눈앞의 풍경을 그려 보는 것부터 시작합니다.

POINT

- 흑백이라면 편하게 그릴 수 있다.
- 디지털로도, 아날로그로도 그리기 쉬운 방법으로 좋다.
- 발표할 때는 초상권이나 상표권에 주의한다.

맑음. 카메라를 수평으로 하여 촬영한 평평한 지면 등은 모사하기 쉽습니다. 일단 이런 풍경부터 연습합시다.

흐림. 앙각이나 부감 사진의 비탈길, 계단 등의 풍경은 어렵기 때문에 익숙해진 후에 도전해 보는 것을 추천합니다.

권리에 대하여

모든 작품에는 저작권이 존재하며 법으로 보호받고 있습니다. 그 밖에도 초상권, 상표권 등 다양한 권리의 문제들이 있기 때문에 모사나 트레이스 할 때는 충분히 주의합시다.

●권리에 대해 주의할 점

모사나 트레이스를 하는 것 자체는 불법이 아닙니다. 「사적 사용」이라고 해서 법률로 허가되고 있습니다. 이미지를 PC에 저장하거나 스마트폰의 배경 화면으로 만드는 것도 사적 사용의 범위이기 때문에 자유입니다. 단, 모사나 트레이스 한 것을 다시 공개하거나 판매하는 것은 불법입니다. 이 「공개」에는 SNS에 글을 올리거나 아이콘으로 사용하는 것도 포함됩니다.
다만 소송 여부는 저작권자가 자유롭게 결정할 수 있기 때문에 불법이라 해도 페널티는 아닙니다. 2차 창작이 허용되는 것도 같은 이유로, 기본적으로는 불법이지만 저작권자가 허락하거나 못 본 체하고 있습니다. 단, 「들키지 않으면 된다」라는 사고방식은 위험합니다. 사진을 모사해서 공개할 생각이라면 그 사진은 스스로 준비하거나 촬영자에게 허가를 받는 것이 적절합니다.

●자료 수집에 대해서

모사나 실제의 작품에 사용할 수 있는 자료는 위에서 말한 대로 가능한 스스로 모으는 것이 무난합니다. 단, 직접 찍은 사진이라도 그대로는 사용할 수 없는 경우가 있습니다. 한편, 저작권이 없는 소재도 있으므로 현명하게 구분해서 사용하면 편리합니다.

- 사유지 내에서 허가 없이 촬영하는 것은 위법입니다. 관광지라도 사유지에서는 상용, 비상용에 관계없이 촬영 자체가 허용이 안 될 수 있습니다. 취재원의 정책을 확인하고 필요하다면 허가를 받아야 합니다. 사유지 외 등 장소에서의 촬영은 기본적으로 자유입니다.

- 특정의 개인이나 상품 등은 초상권이나 상표권, 프라이버시권 등에 저촉될 가능성이 있으므로 허가를 받지 않은 경우는 그 자체로 그림을 그리는 것을 피하는 게 좋습니다. 이것도 허락을 받으면 자유입니다.

- 자료로 사용할 수 있는 책이나 인터넷상의 소재를 사용하는 것도 있습니다. 다만 권리 표시가 필요하기도 하므로 이용 규약을 잘 읽어봅니다. 「이미지 Free」 등에서 검색한 이미지는 기본적으로 상업적으로 사용할 수 없으므로 주의하세요.

- 저작권이 없는 것은 모사나 트레이스 해도 괜찮습니다. 다만 이 부분도 법률이 복잡하고 장르에 따라 보호되는 범위가 다르기 때문에 신중하게 사용하세요.

- 이상은 모두 국내의 사정이며 해외에선 또 달라집니다. 잘 모르겠으면 참고는 해도 발표는 하지 맙시다.

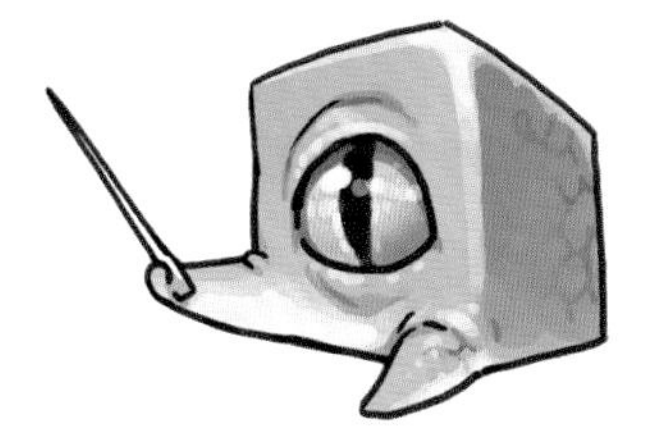

※다음 칼럼 : p.95 트레이스와 베끼기에 대하여

모사의 요령

모사에도 여러 가지 목적이 있지만, 여기서는 주로 퍼스 연습을 위한 요령을 배웁니다. 소실점 등을 모르더라도 모사는 퍼스의 분위기를 파악할 때 효과적입니다. 이론을 배웠지만 머리에 들어오지 않는다면「배우기보다 먼저 익숙해져라」라는 말처럼 우선 실제로 그려봅시다.

처음에는 흑백으로

사진을 흑백으로 하면 색상의 정보에 방해받지 않고 모양에 집중할 수 있기 때문에 특히, 퍼스 연습을 할 때는 흑백으로 그리는 것을 추천합니다. 왼쪽의 컬러 사진과 비교해 보면 쉽게 알 수 있습니다. 반대로 퍼스에 익숙해지면 색상에 집중해서 연습해 보도록 합니다. 익숙하지 않은 것들은 하나씩 해나가도록 하세요.

그리드를 그려라!

모사에 익숙해지지 않을 때는 그리드를 그리면 모사의 난이도가 내려가 어디서부터 그리면 좋을지 고민하지 않아도 됩니다. 나머지는 그리드와의 위치 관계나 가로세로 비율에 신경 쓰면서 그리면 나름대로의 풍경을 그릴 수 있습니다. 퍼스까지 의식하면 난이도가 올라가므로 주의합니다.

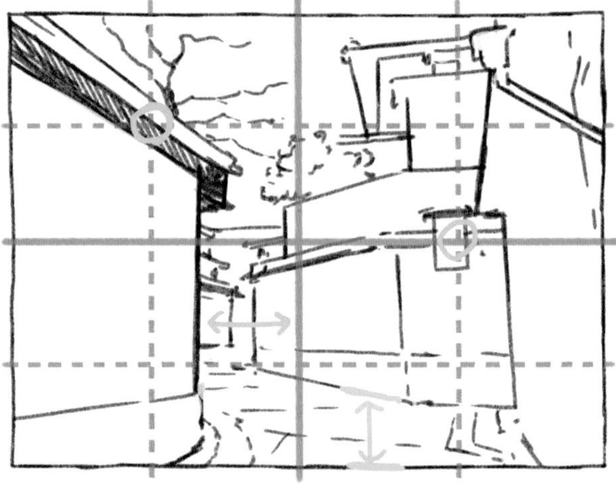

윤곽으로 균형을 잡다

먼저 큰 윤곽을 그리고 나서 세부를 그리면 균형이 잘 무너지지 않습니다. 세세한 부분까지 한꺼번에 그리면 그리는 도중에 균형이 맞지 않는 것을 알아도 쉽게 고칠 수 없어 결과적으로 그다지 좋은 연습이 되지 않습니다.

항상 전체를 확인한다

화면에 집중하다 보면 전체를 확인하는 것을 잊어버려 그림의 전체 또는 일부가 축소되어 당황할 수 있습니다. 그림을 그릴 때는 항상 전체의 균형을 확인합니다. 일단 화면에서 떨어져서 그림을 보면 더욱 효과적입니다. 그 밖에 눈을 가늘게 뜨고 보거나 좌우(상하)로 반전해서 보는 것도 매우 좋은 방법입니다.

트레이스와 베끼기에 대하여

트레이스라는 말은 그림 위에 종이를 한 장 얹어 원래 그림에 덧그려서(trace) 그리는 작업을 말합니다. 다른 사람의 그림이나 사진을 무단으로 트레이스 해서 발표하면 그것은 「베끼기」이며 저작권법에도 위반됩니다. 또, 트레이스 하지 않아도 모방하여 그리는 것은 「표절」이 되기도 하며, 경우에 따라서는 저작권법에 저촉됩니다. 그러나 자신이 찍은 사진을 트레이스 하거나 다른 사람의 작품이라도 미리 허가를 받은 것은 위법이 아닙니다. 가끔 트레이스를 하거나 사진을 보고 그리는 것을 비난하는 사람들이 있지만, 트레이스나 사진을 보고 그리는 것 자체는 나쁜 것이 아니라는 것을 이해해야 합니다.

※다음 칼럼 : p.103 평행투영도법에 대하여

복잡한 풍경의 모사

비율을 의식하여 그릴 수 있게 되면 조금 복잡한 풍경 모사도 해 봅니다. 그림을 그릴 때 보기 좋게 하는 방법을 생각할 수 있으면 실력이 더욱 좋아집니다.

이러한 실제 풍경을 그리는 것은 설득력 있는 그림을 그릴 준비로써 아주 효과적입니다. 평소에 잘 관찰하지 않는 갓길의 블록 모양, 울타리의 간격, 복잡한 전선, 나무를 심는 방법 등을 한 번이라도 그려 보면 꽤 달라집니다.

실제 풍경에서는 선이 이상한 곳에 겹쳐 있어서 균형이 맞지 않을 때가 많습니다. 따라서 그림을 그릴 때 조정하여 보기 좋게 만들어 봅니다. 이것을 「눈속임을 하다」라고 표현하고 있는데, 좋은 그림을 보여 주기 위해서는 눈속임을 하는 것이 중요합니다.

일상적인 스케치

외출할 기회가 많은 사람은 스케치북을 가지고 걸으면서 여유 시간에 스케치를 하세요. 풍경에 익숙해지는 데 매우 효과적입니다.

전철 안이나 카페에서도 스케치를 할 수 있습니다. 학교 같은 곳은 스케치하기 정말 좋은 곳입니다. 테이블 위에 올라가 있는 것에도 퍼스는 존재합니다. 여유 시간에 조금이라도 스케치를 하면 경험치가 점점 쌓이기 때문에 적극적으로 스케치를 하도록 합니다.

03 퍼스의 기본 지식

퍼스란 무엇일까?

이제 퍼스에 대해 배워봅시다. 먼저 퍼스란 어떤 것인지 개요를 알아봅니다.

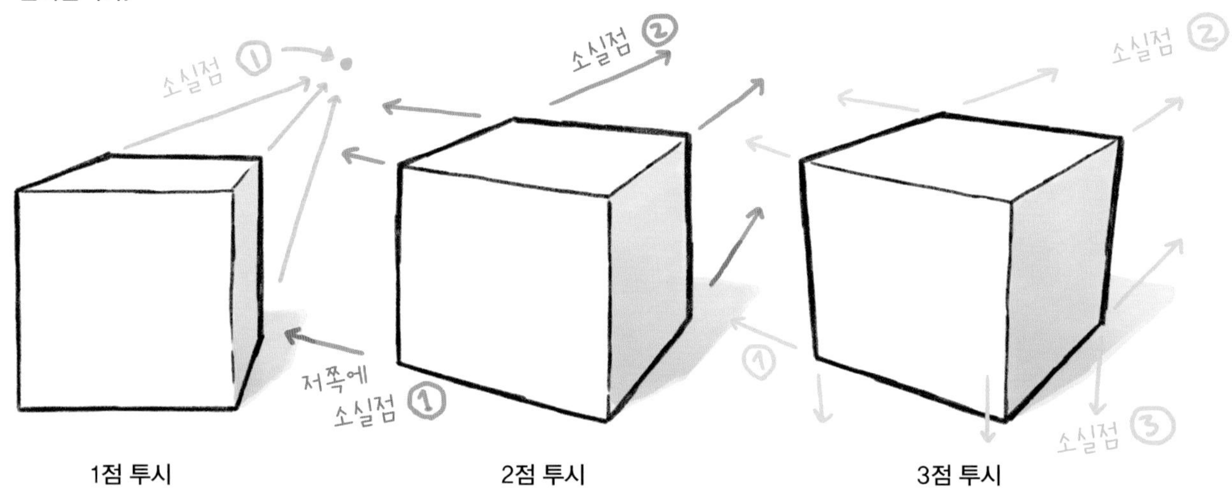

퍼스란?

퍼스(투시도법)란 간단히 말해 「원근감이 있는 그림을 그리기 위한 이론」입니다. 실제로 보이는 세상과 마찬가지로 가까이 있는 것은 크게, 멀리 있는 것은 작게 그리는 것에 대한 이론입니다. 데생 능력이 없어도 퍼스를 이해할 수 있다면 특히, 건물 등을 정확하게 그릴 수 있게 됩니다.

오른쪽 그림과 같이 지면에 그리드를 그리고 그것을 지평선까지 쭉 늘려 가면 안쪽 방향의 선은 모두 지평선상의 한 점에 정리됩니다. 이 점을 「소실점」이라고 합니다. 이것만 알면 나머지 퍼스 이론은 모두 이것의 응용입니다. 우선은 이 「소실점」을 기억해 주세요.

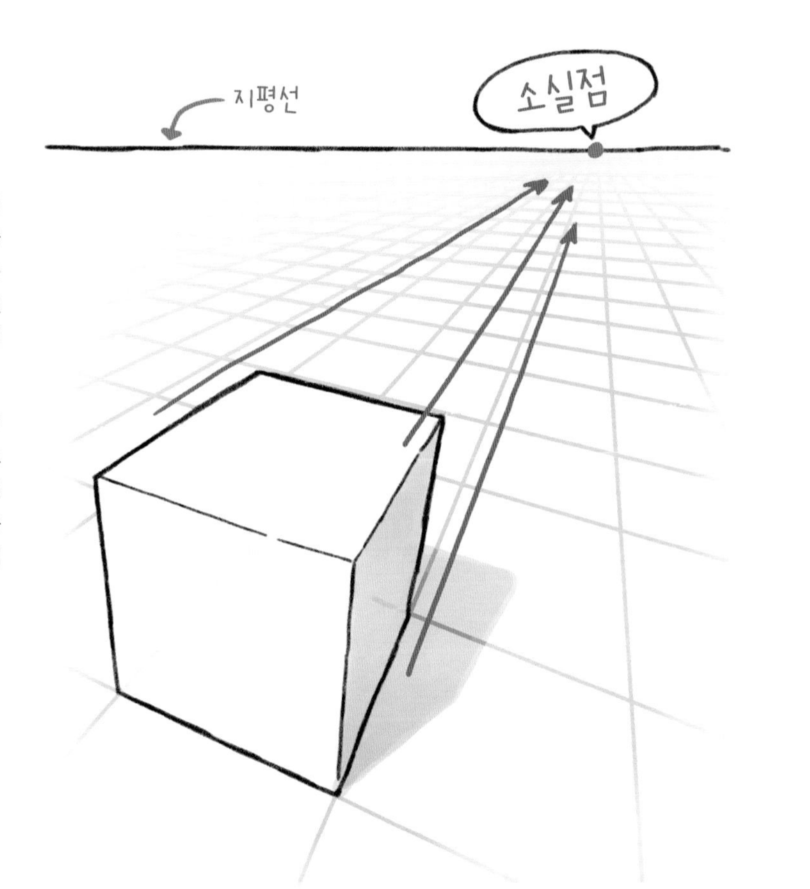

늘어나는 소실점

지면의 그리드와 같은 방향으로 놓인 것은 모두 같은 소실점을 사용해 그릴 수 있습니다. 높이가 달라도 소실점은 변하지 않습니다.

다만, 향하고 있는 방향이 바뀌면 소실점의 위치도 바뀌게 됩니다. 옆의 그림을 보면 조금 전의 소실점과는 다른 위치에 새로운 소실점이 생겼습니다. 두 곳의 소실점 전부 지평선상에 있는 것은 모두 수평으로 놓여 있기 때문입니다. 소실점이 지평선상에 있으면 거기에서 그어지는 선은 모두 수평인 선이 됩니다.

실제 풍경에서는 방향이 다른 것이 무수히 많기 때문에 그 수만큼 소실점이 생깁니다. 사실적인 풍경을 그리고 싶을 때 이 무수한 소실점을 의식해서 그리는 것이 중요해집니다. 다만, 익숙해지면 일일이 소실점을 생각하지 않아도 왠지 모르게 그럴듯한 선을 그릴 수 있게 됩니다.

1점 투시의 기본

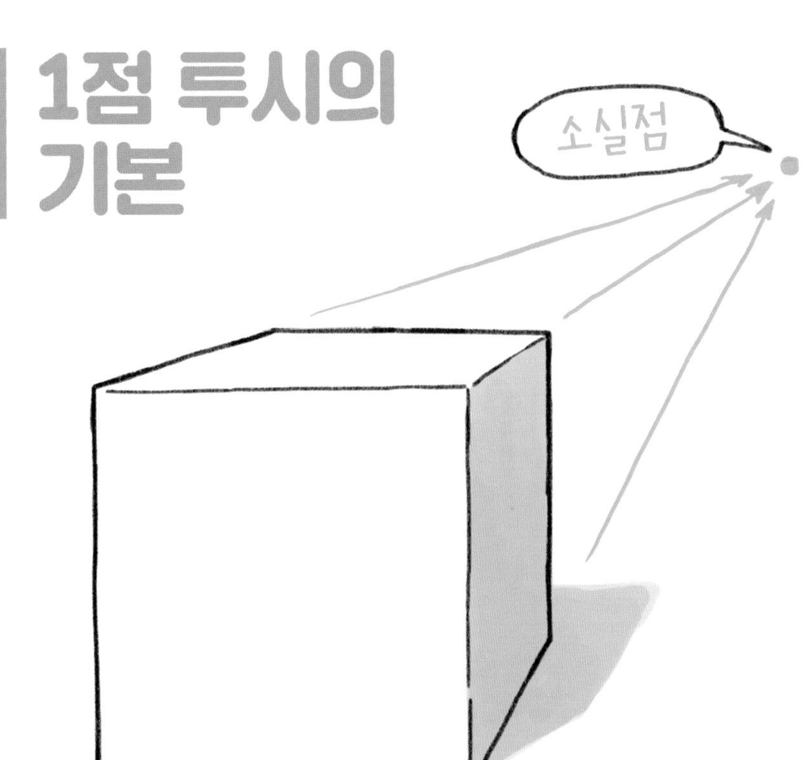

1점 투시란?

1점 투시도법은 소실점이 하나뿐인 퍼스입니다. 안쪽 방향의 선을 그려 교차하는 곳에 소실점을 두고 그 소실점을 기준으로 그릴 수 있습니다. 위에서 보았을 때 같은 방향으로 향하고 있는 선은 모두 이 소실점을 향해서 보조선을 그릴 수 있습니다. 또한 이 소실점에서 수평으로 선을 그리면 지평선이 됩니다.

카메라와의 위치 관계를 그림으로 표현한 것입니다. 아래 그림의 카메라 위치에서 보면 오른쪽 그림처럼 보입니다. 안쪽 방향의 선은 모두 같은 소실점을 향합니다.

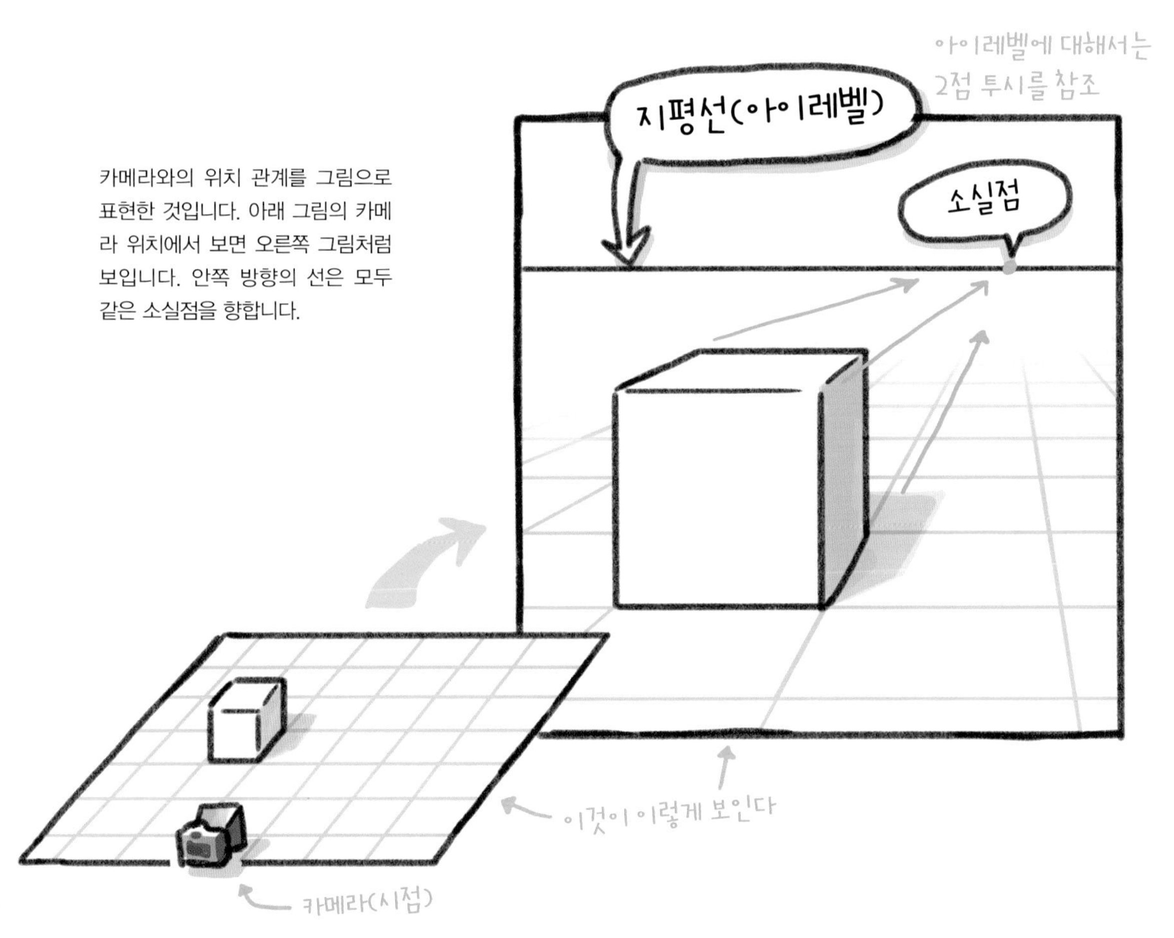

1점 투시 그리는 법

1. 정면도를 그린다.

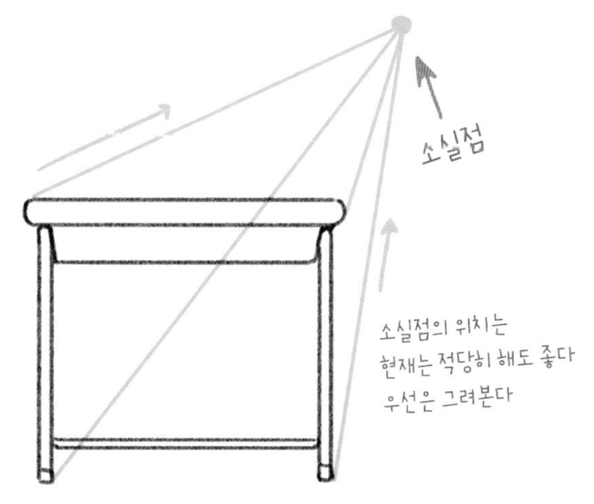

2. 소실점을 적당히 찍는다(정확한 소실점의 위치를 정하는 것은 익숙해지고 나서).

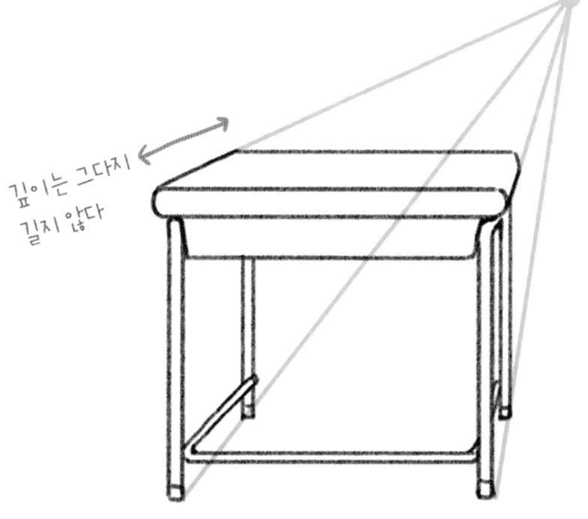

3. 소실점을 향해 선을 그린다(깊이의 세밀한 결정 방법은 p.124 응용편 「깊이를 균등하게 분할하다」를 참조).

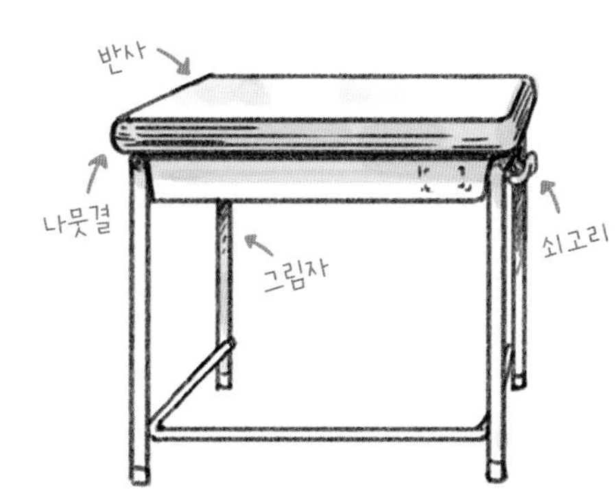

4. 세부를 더 그린다.

사진이나 자료를 보고 그리면
리얼하게 그릴 수 있다

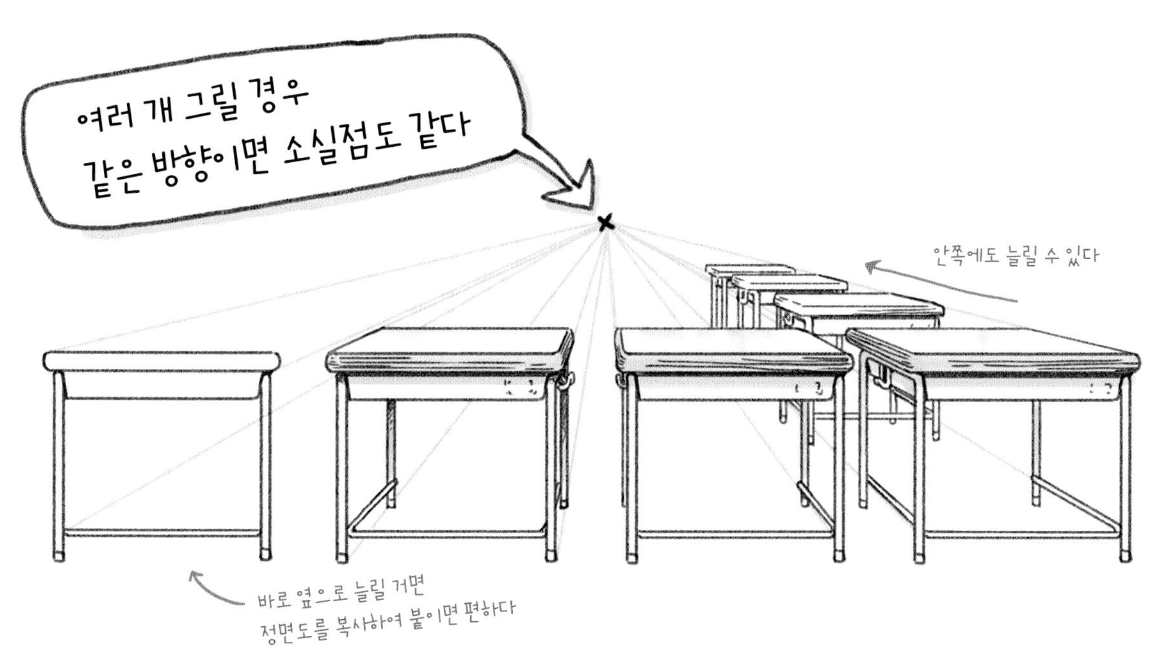

1점 투시의 여러 가지 종류

다양한 1점 투시의 사용법입니다. 1점 투시라도 잘 다루면 다음과 같이 그릴 수 있습니다.

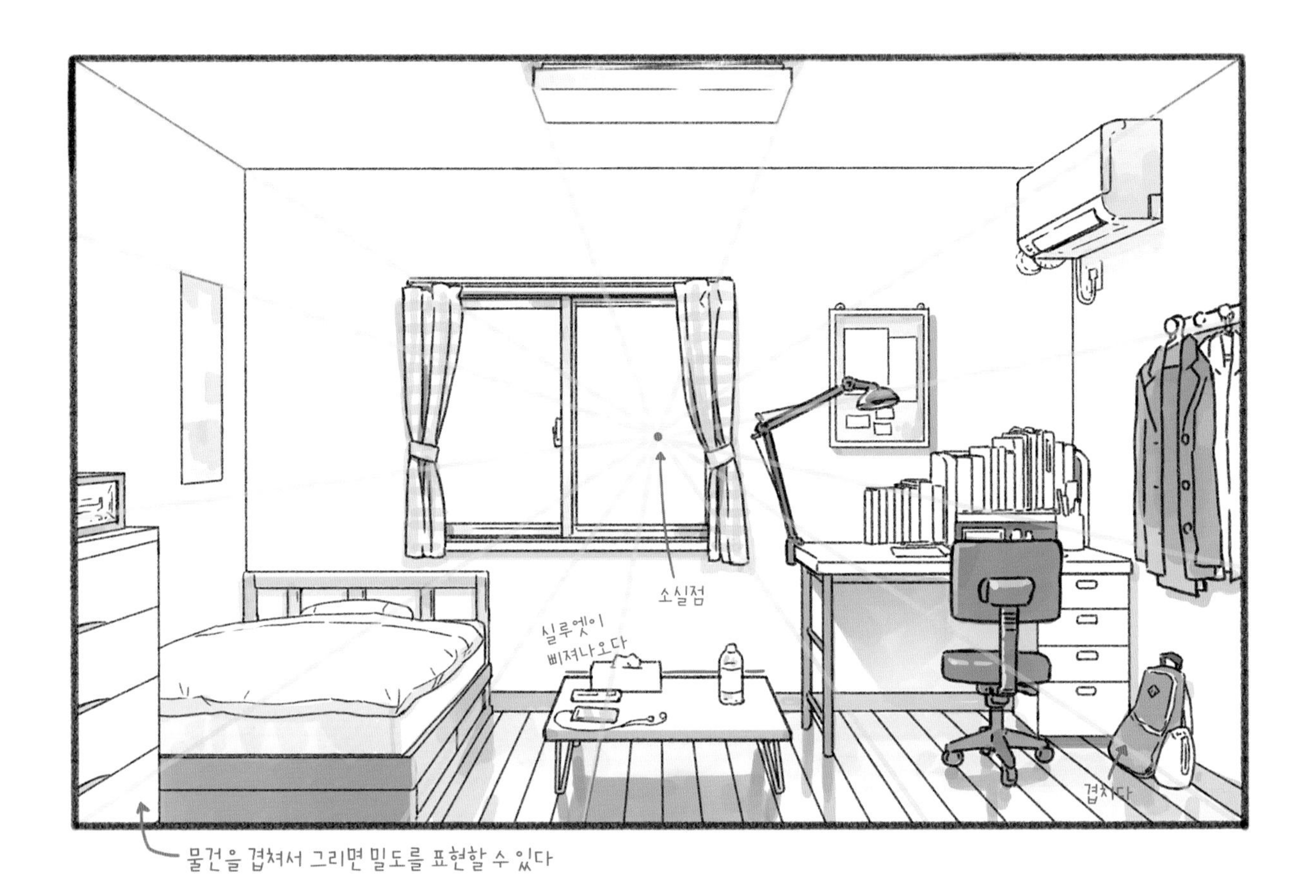

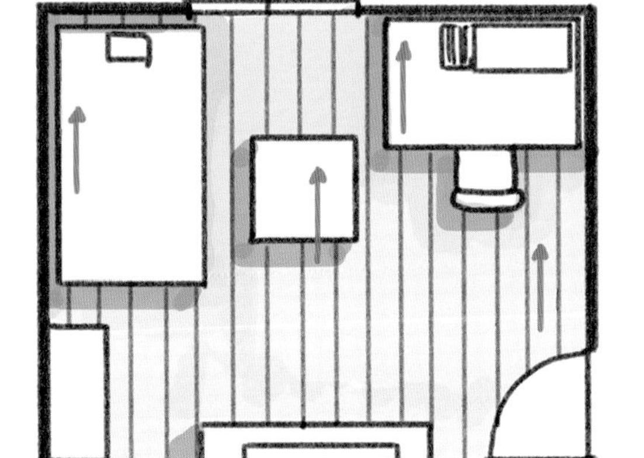

1점 투시는 정면에서 보는 법을 종이 위에 재현하는 방법입니다. 현실에서도 카메라를 정면으로 잡고 찍으면 그림과 같이 나옵니다. 다만 정면으로 사물을 볼 기회는 적기 때문에 그림을 그릴 때는 땅에 닿는 면(접지면)을 그려 크기를 알기 쉽게 하거나, 사물과 사물을 겹쳐서 밀도감을 표현하는 등의 노력이 필요합니다.

위에서 보았을 때 이쪽 방향의 선은 모두 같은 소실점이 된다

다양한 1점 투시

1점 투시는 정면이라고 이야기했지만, 앙각이나 부감과 비슷한 구도를 그릴 수도 있습니다. 카메라로 찍을 때 정면 방향으로 찍고 나서 일부분을 잘라내면 앙각이나 부감과 비슷한 구도를 재현할 수 있는 것과 같은 이치입니다. 「앙각이나 부감으로 그리고 싶지만 복잡한 퍼스는 힘들 것 같은」 경우에는 먼저 이것을 시도해 봅시다.

평행투영도법에 대하여

평행투영도법은 투시도법과 달리 소실점을 만들지 않는 기법입니다. 투시도법은 외형을 재현하는데 비해 투영도법은 크기와 각도를 정확히 재현하므로, 주로 건축 업계에서 사용되고 있으며 정투영(평면도나 입면도), 사투영(건축도) 등 다양한 종류가 있습니다. 상세한 설명은 생략하지만, 일러스트적으로는 재미있기 때문에 관심이 있는 분은 각자 조사해 보세요.

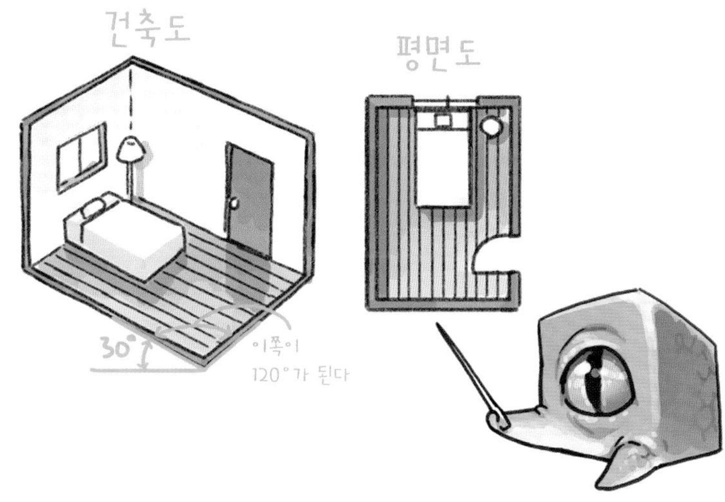

※다음 칼럼 : p.107 아이레벨과 지평선

2점 투시의 기본

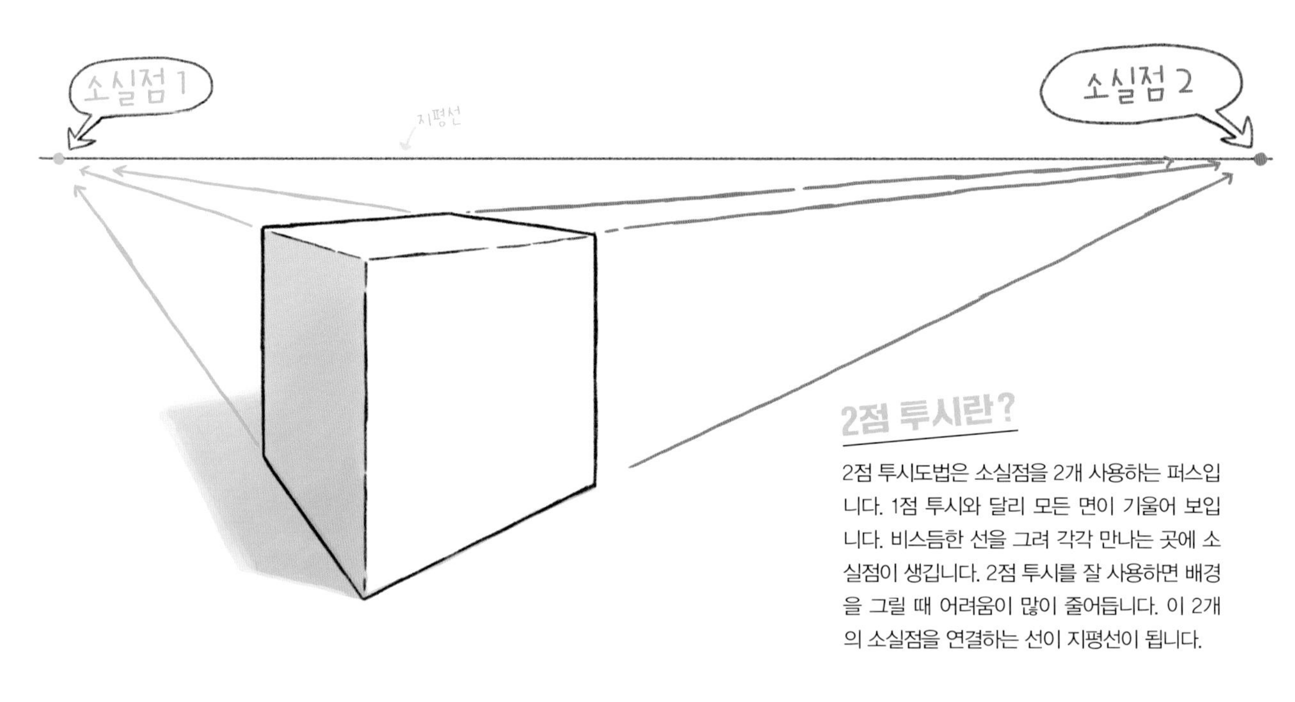

2점 투시란?

2점 투시도법은 소실점을 2개 사용하는 퍼스입니다. 1점 투시와 달리 모든 면이 기울어 보입니다. 비스듬한 선을 그려 각각 만나는 곳에 소실점이 생깁니다. 2점 투시를 잘 사용하면 배경을 그릴 때 어려움이 많이 줄어듭니다. 이 2개의 소실점을 연결하는 선이 지평선이 됩니다.

1점 투시와 2점 투시의 차이는 「카메라의 방향」입니다. 모티브를 정면에서 보면 1점 투시, 사선에서 보면 2점 투시가 됩니다.

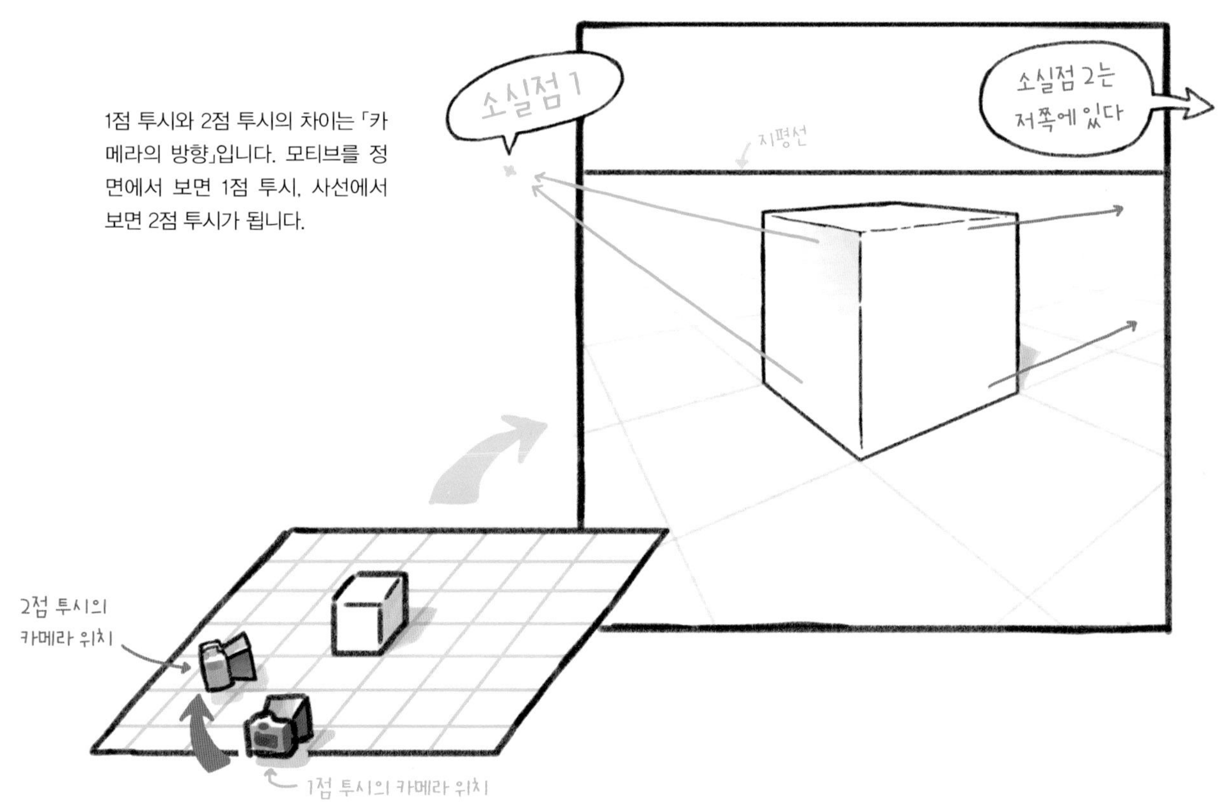

2점 투시 그리는 법

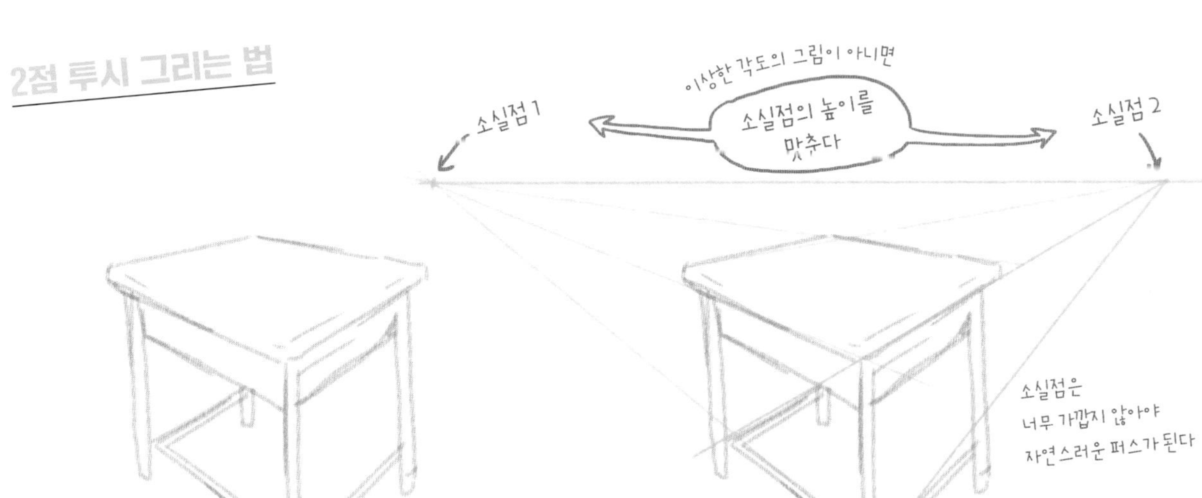

1. 그리고 싶은 각도로 러프를 그린다.

2. 측면의 선을 길게 그려서 적당히 소실점의 위치를 정한다.

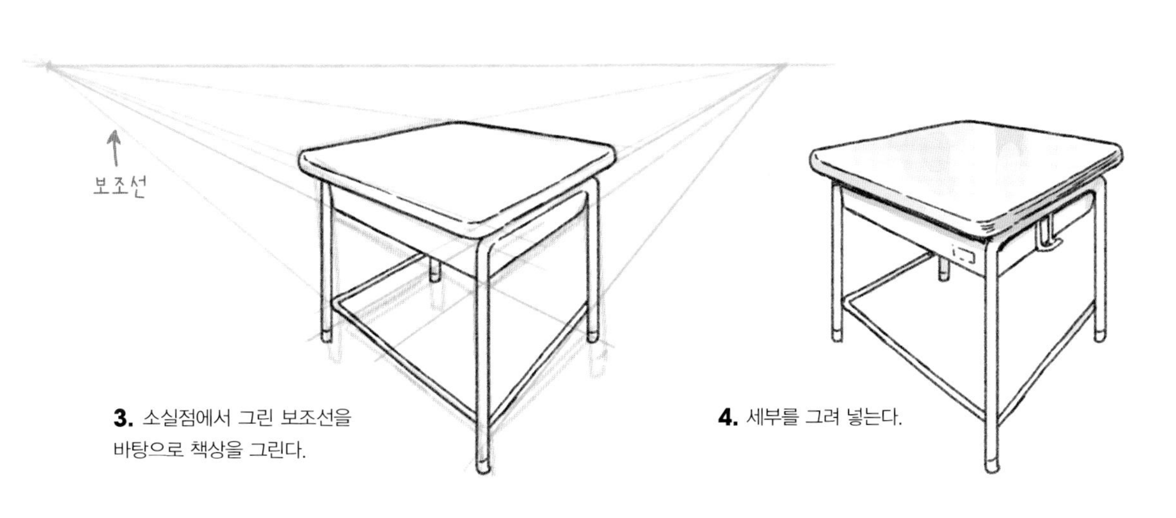

3. 소실점에서 그린 보조선을 바탕으로 책상을 그린다.

4. 세부를 그려 넣는다.

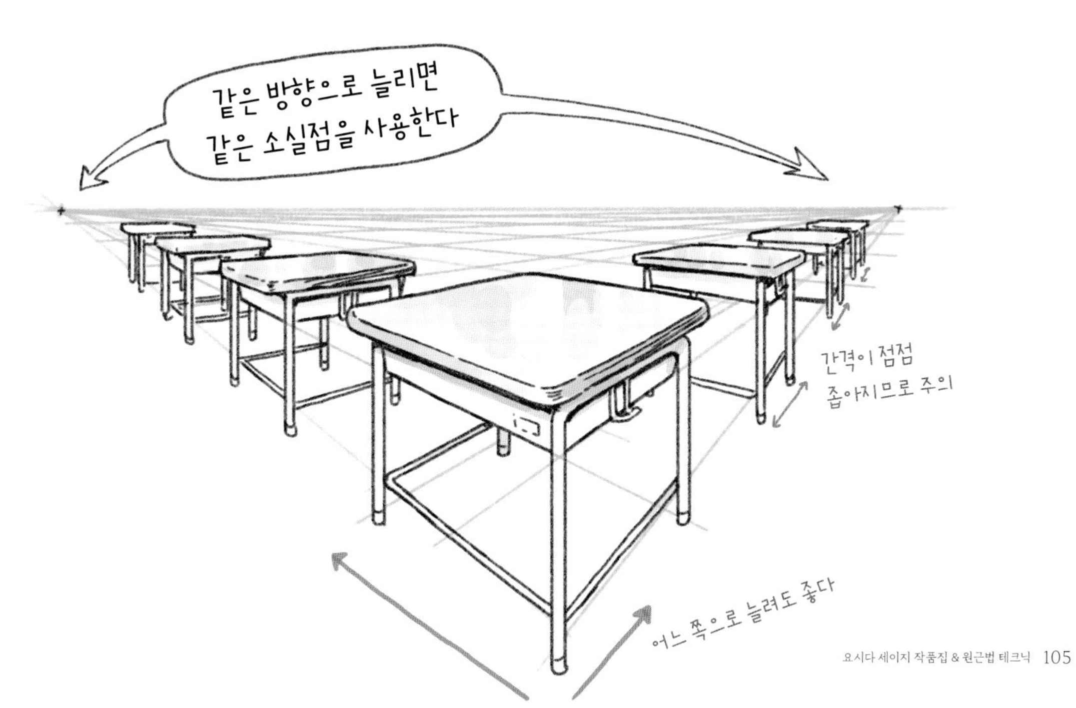

아이레벨에 대하여

이전 페이지에서 설명한 것처럼 2점 투시의 2개 소실점은 모두 지평선상에 있습니다. 만화 업계에서는 이때의 지평선(의 높이)을 「아이레벨」이라고 부릅니다.

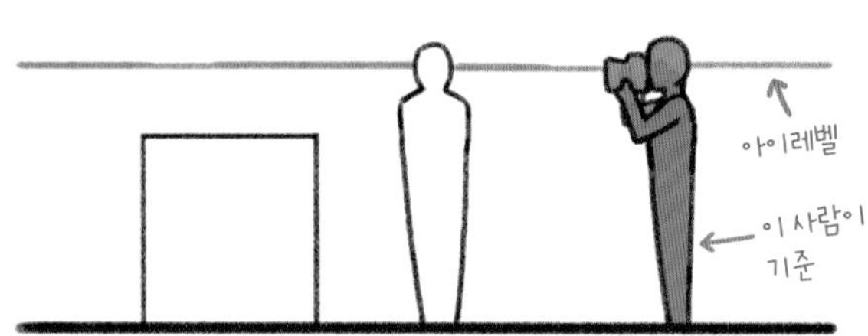

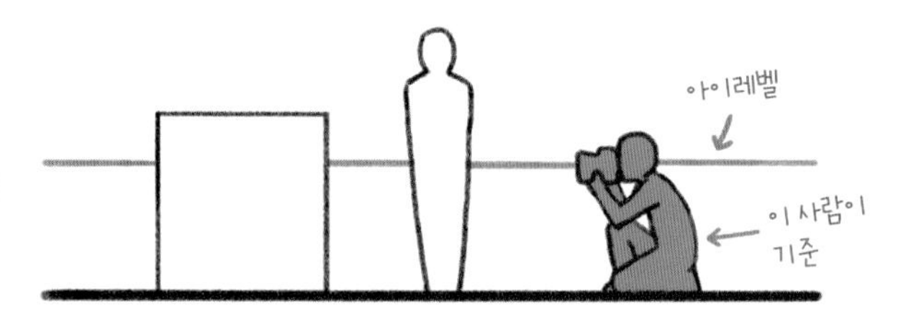

아이레벨이란?

아이레벨은 지평선의 높이이기도 하고(엄밀하게는 다르지만) 동시에 카메라의 높이를 말합니다. 위 그림과 같이 서 있는 상태에서 아이레벨은 눈높이가 되고 쭈그리고 앉은 상태에서의 아이레벨은 허리 부근에 옵니다. 이것은 앙각이나 부감 등의 구도에서도 마찬가지입니다. 1점 투시와 2점 투시의 소실점은 이 아이레벨상에 생깁니다.

그림을 그리는 경우, 아이레벨을 화면의 어디에 둘지는 그리는 것의 위치 관계나 퍼스에 따라 다릅니다. 반대로, 먼저 아이레벨을 정하고 거기에 소실점을 두면 다소 부자연스럽더라도 퍼스로는 올바른 그림이 됩니다. 퍼스에 익숙해지면 먼저, 아이레벨이 화면의 어디에 있는지를 의식하도록 합니다.

단, 건축 업계에서의
아이레벨 = 서 있을 때의 눈높이
와는 의미가 다르므로 주의

인물의 크기도 아이레벨을 기준으로
하면 편하게 모을 수 있다

다양한 2점 투시

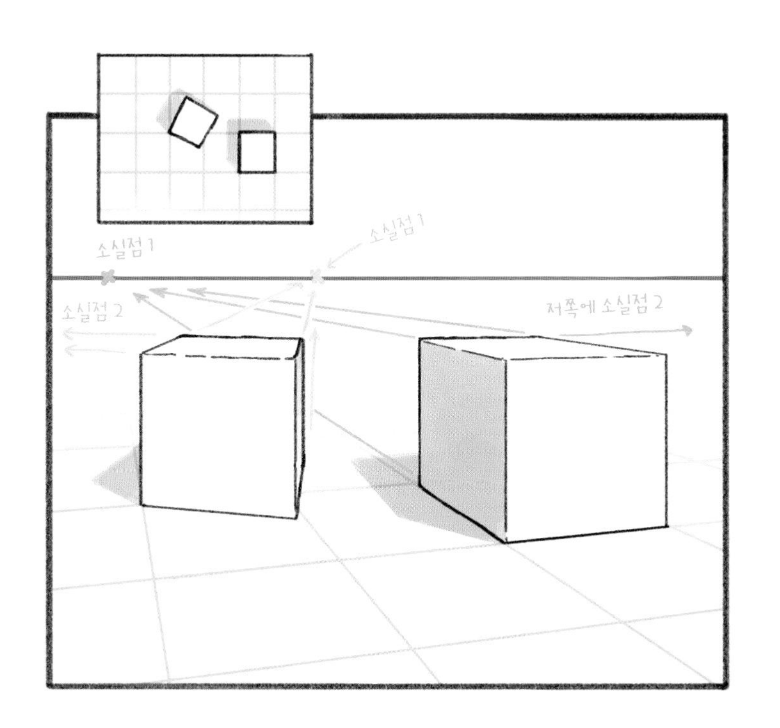

서로 다른 각도의 그림 분배

서로 다른 방향으로 놓여 있는 것은 다른 소실점을 사용해서 그릴 수 있습니다. 소실점이 아이레벨상의 어디에 생기는지는 그 사물이 어느 방향으로 놓여 있는지에 따릅니다. 익숙하지 않을 때는 새로운 소실점을 적당히 하나 만들고, 거기에서 보조선을 그려 봅니다. 또 다른 소실점은 바닥에 그리드를 그리는 등 직감적으로 위치를 정할 수 있습니다.

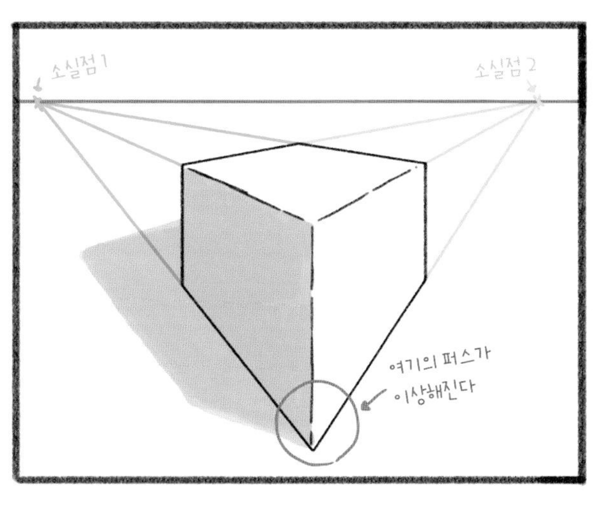

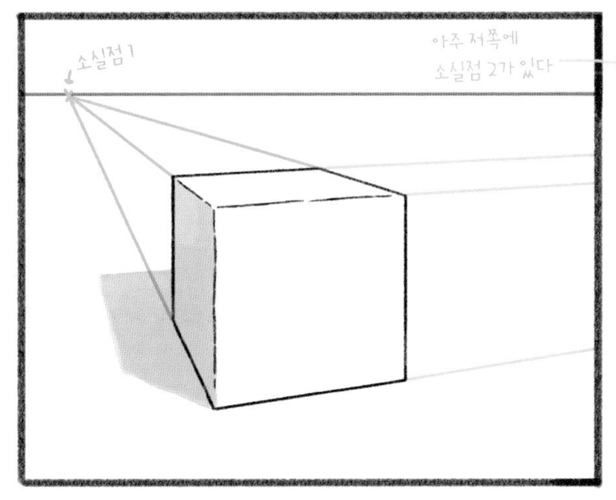

자연스러운 퍼스

2점 투시에 익숙하지 않을 때는 아무래도 퍼스를 잡기가 쉽지 않습니다. 소실점의 위치가 너무 가깝기 때문입니다. 특별한 연출 의도가 없는 경우 소실점은 적당히 거리를 두는 것이 무난합니다. 2점 투시의 경우, 적어도 어느 하나의 소실점은 화면 밖으로 두는 것이 자연스러워집니다.

아이레벨과 지평선

아이레벨은 「시점의 높이」를 말하는 것이고 지평선은 「땅의 끝 선」을 의미하므로 서로 다른 개념입니다. 지구는 둥글기 때문에 정확하게는 지평선이 아이레벨의 조금 아래에 있습니다. 다만 그 차이는 얼마 되지 않아서 그림으로 그리는 경우는 아이레벨의 위치에 지평선을 그리는 것이 보통입니다.

※다음 칼럼 : p.113 센티미터 표기에 대하여

3점 투시의 기본

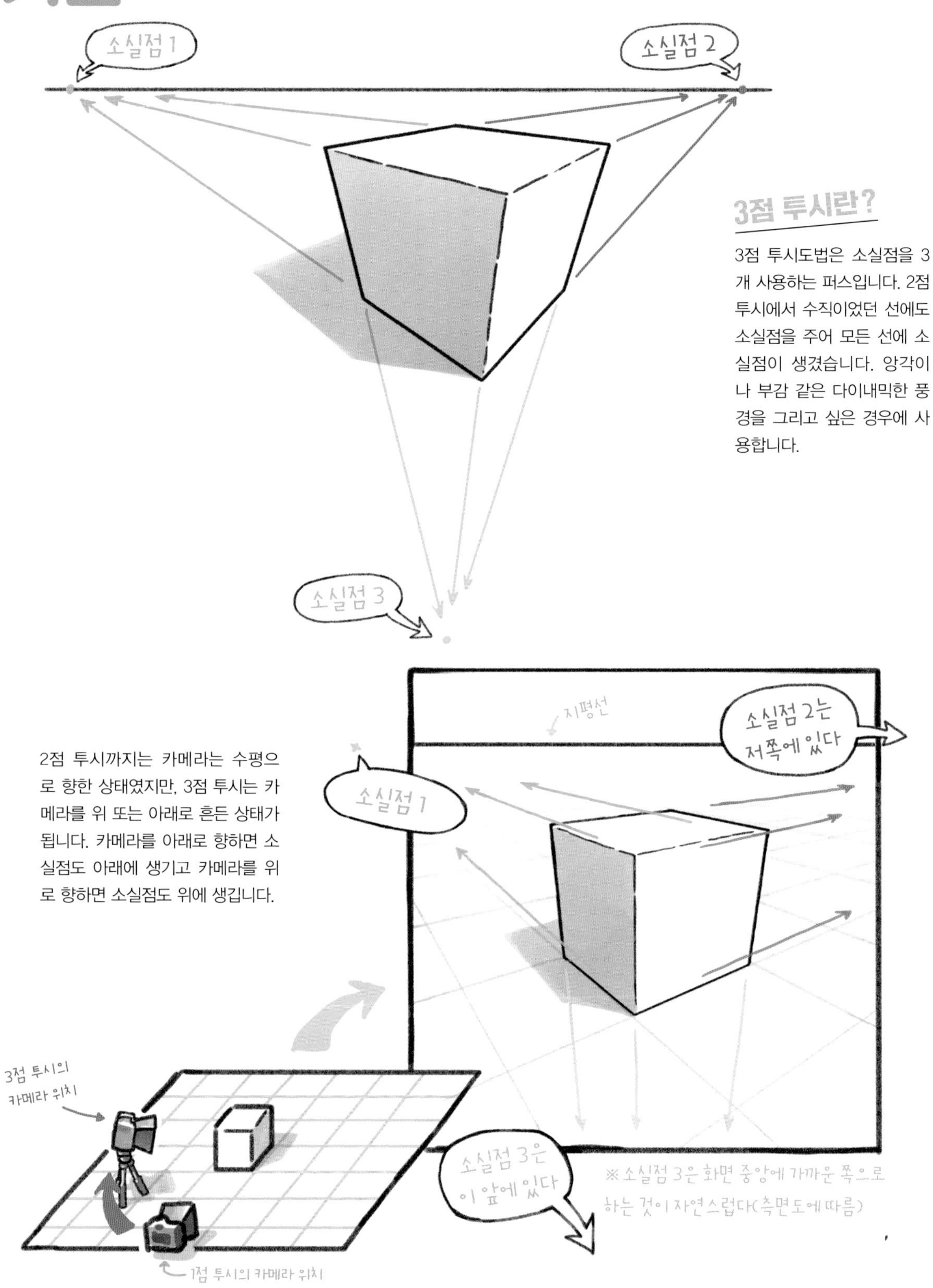

3점 투시란?

3점 투시도법은 소실점을 3개 사용하는 퍼스입니다. 2점 투시에서 수직이었던 선에도 소실점을 주어 모든 선에 소실점이 생겼습니다. 앙각이나 부감 같은 다이내믹한 풍경을 그리고 싶은 경우에 사용합니다.

2점 투시까지는 카메라는 수평으로 향한 상태였지만, 3점 투시는 카메라를 위 또는 아래로 흔든 상태가 됩니다. 카메라를 아래로 향하면 소실점도 아래에 생기고 카메라를 위로 향하면 소실점도 위에 생깁니다.

3점 투시 그리는 법

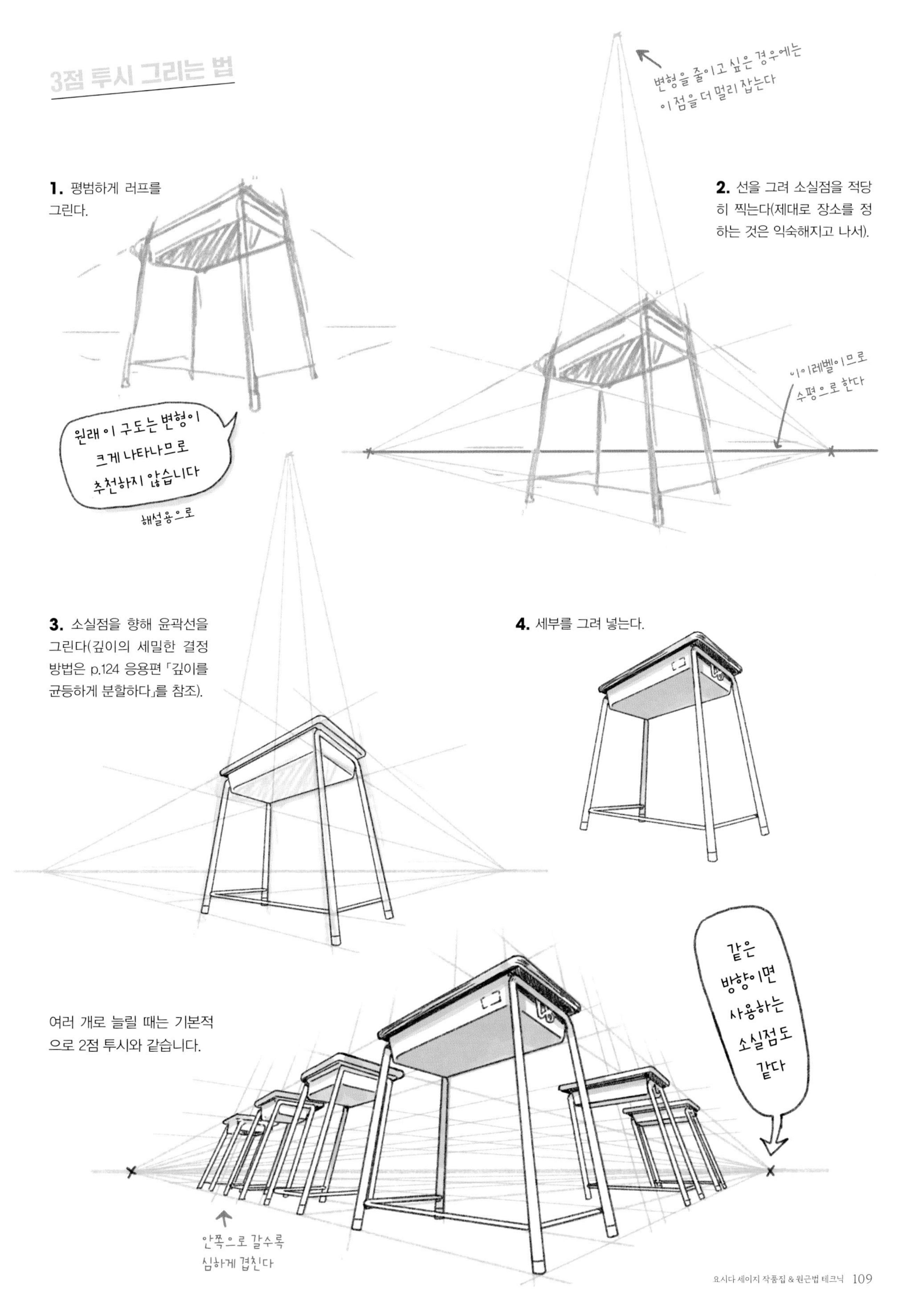

1. 평범하게 러프를 그린다.

2. 선을 그려 소실점을 적당히 찍는다(제대로 장소를 정하는 것은 익숙해지고 나서).

3. 소실점을 향해 윤곽선을 그린다(깊이의 세밀한 결정 방법은 p.124 응용편 「깊이를 균등하게 분할하다」를 참조).

4. 세부를 그려 넣는다.

여러 개로 늘릴 때는 기본적으로 2점 투시와 같습니다.

3점 투시와 구도

3점 투시를 사용하면 앙각이나 부감 등 복잡한 구도도 자유롭게 작성할 수 있습니다. 여기에서는 이러한 구도의 특징이나 변화를 소개합니다.

부감

높은 위치에서 내려다보는 구도로, 객관적이고 냉정하며 정적인 느낌을 줍니다. 주위를 바라보는 장면, 생각 중인 장면, 공포나 긴박감의 연출에도 사용할 수 있습니다.

앙각

낮은 위치에서 올려다보는 구도로, 주관적이고 장대하며 동적인 인상을 줍니다. 다이내믹함, 모티브 강조, 기세 있는 장면 등에 사용할 수 있습니다.

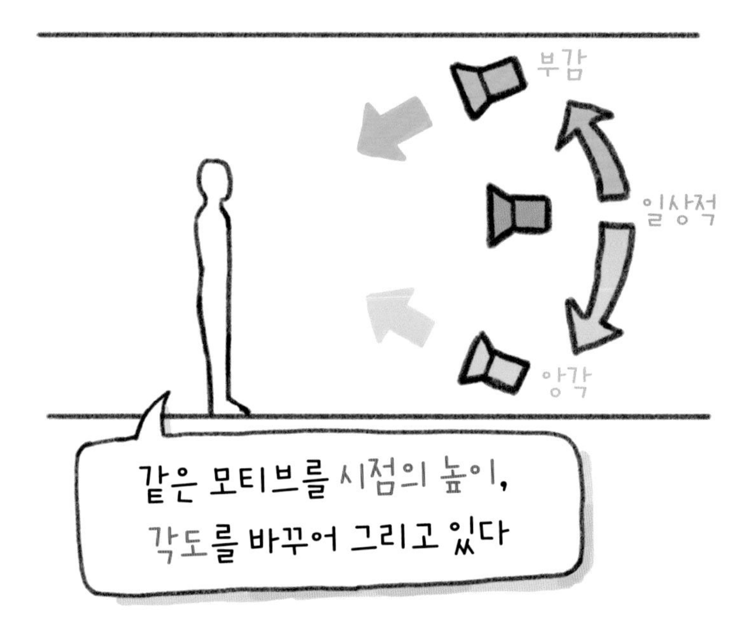

위의 그림은 같은 모티브를 부감과 앙각, 각각의 구도로 그린 것입니다. 구도에 따라 인상이 많이 달라지는 것을 알 수 있습니다.

이러한 연출 의도는 어디까지나 표준이며 예를 들어, 모티브의 배후를 주목시키고 싶을 때는 역효과이거나 퍼스의 강도에 따라 달라집니다. 모든 패턴을 설명하기는 어렵기 때문에 우선은 부감과 앙각이라는 구도가 있다는 것을 기억하고 그림을 그릴 때 시험해 보기 바랍니다.

1점 투시와 3점 투시의 앙각과 부감

1점 투시에서도 앙각이나 부감 느낌의 구도를 잡을 수 있다고 했습니다. 1점 투시와 3점 투시로 각각 앙각과 부감을 그리면 위의 그림과 같이 됩니다.

앙각과 부감 모두 카메라의 위치는 같으나 1점 투시라면 카메라는 정면을 향해 있고 3점 투시는 모티브 방향으로 카메라를 향한 상태라는 차이가 있습니다. 1점 투시는 퍼스가 완만하기 때문에 화면에서 받는 인상이 정적입니다. 3점 투시는 더 역동적으로 느껴지지만, 모티브의 구성은 많이 바뀌지 않습니다.

작화 자체는 1점 투시가 편하기 때문에 카메라 워크 자체의 연출 의도가 없고 모티브의 위치 관계 등의 이유로 앙각이나 부감을 원한다면 1점 투시로 작화를 해도 좋을 것입니다.

복수의 소실점이 있는 풍경

마지막으로 복수의 소실점이 있는 풍경을 그리는 방법을 소개합니다.

처음에도 설명했지만, 실제 풍경은 몇 점 투시라고 정할 수 없으며 물건의 수만큼 소실점이 있는 것이 보통입니다. 2점 투시 느낌의 구도에서도 경우에 따라 1점 투시와 3점 투시로 보이는 것도 있습니다. 똑바로 나란히 보이는 것도 실제로는 조금 어긋나 있고 그때마다 소실점이 바뀝니다.

그림을 그릴 때 너무 복잡하면 그리는 것이 힘들어지므로 많이 복잡하게 하지 않는 것이 좋지만, 리얼함을 표현하고 싶은 경우에는 놓여 있는 사물의 방향을 조금 돌려보거나 기울이면 그림의 설득력을 더할 수 있습니다.

그리는 법

1. 일단 대략적인 러프를 그린다. 방의 컨셉을 잡아 사진 자료를 확인하면서 그려야 설득력이 생긴다.

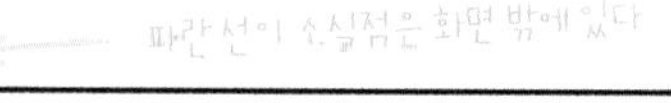

2. 러프를 바탕으로 소실점과 아이레벨을 정하고 보조선을 그린다. 카메라 높이가 정해져 있으면 아이레벨을 먼저 정하고, 구도가 우선이면 소실점을 먼저 정한다.

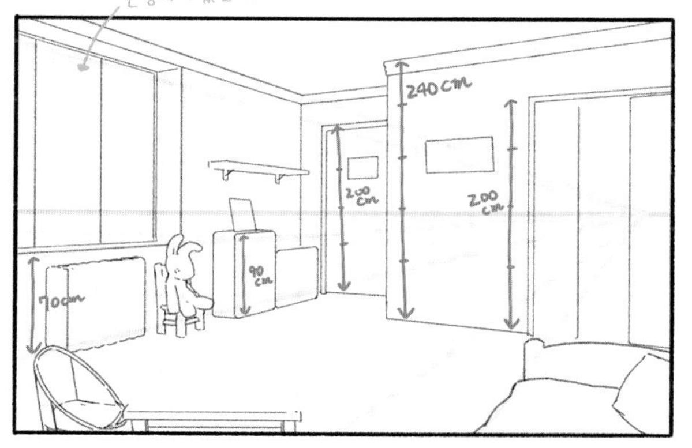

3. 소실점에서 가이드 선을 그리고 인물이 서 있거나 앉아도 이상하지 않은지 의식하며 큰 가구의 균형을 잡아 준다.

4. 경사진 것 등 필요에 따라 소실점을 추가하면서 그린다.

5. 세부를 더 그려 완성한다.

센티미터 표기에 대하여

건축 업계에서는 물건의 단위를 밀리미터로 표기하는 것이 보통이지만, 이 책에서는 알기 쉽도록 센티미터로 표기하고 있습니다. 평소에 건축계의 정보를 자주 접하는 사람이면 센티미터 표기를 무심코 잊어버리기 쉽지만, 밀리미터 표기가 정확하고 편리하다는 것은 극히 일부의 생각이기도 합니다.

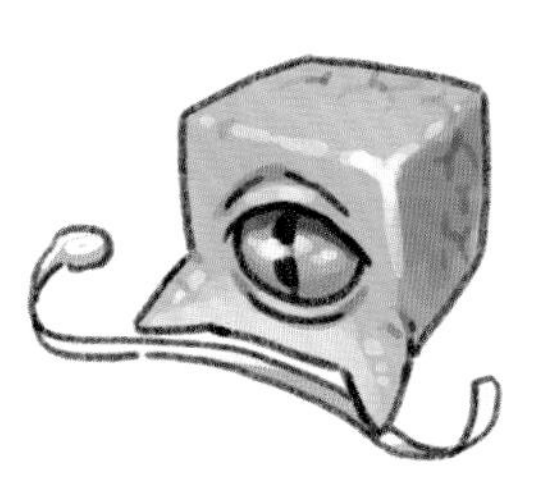

※다음 칼럼 : p.124 일본식 방 크기에 대하여

04 퍼스의 응용·실용

퍼스를 의식한 자연 묘사

퍼스가 그다지 상관없을 것 같은 자연물을 그릴 때도 퍼스를 의식하면 공간을 더 효과적으로 그릴 수 있게 됩니다. 지금까지 설명한 테크닉도 퍼스의 구조를 이해하고 나서 재현하면 장면에 따라 구분하여 그릴 수 있으며, 그림의 의도를 정확하게 재현할 수 있습니다.

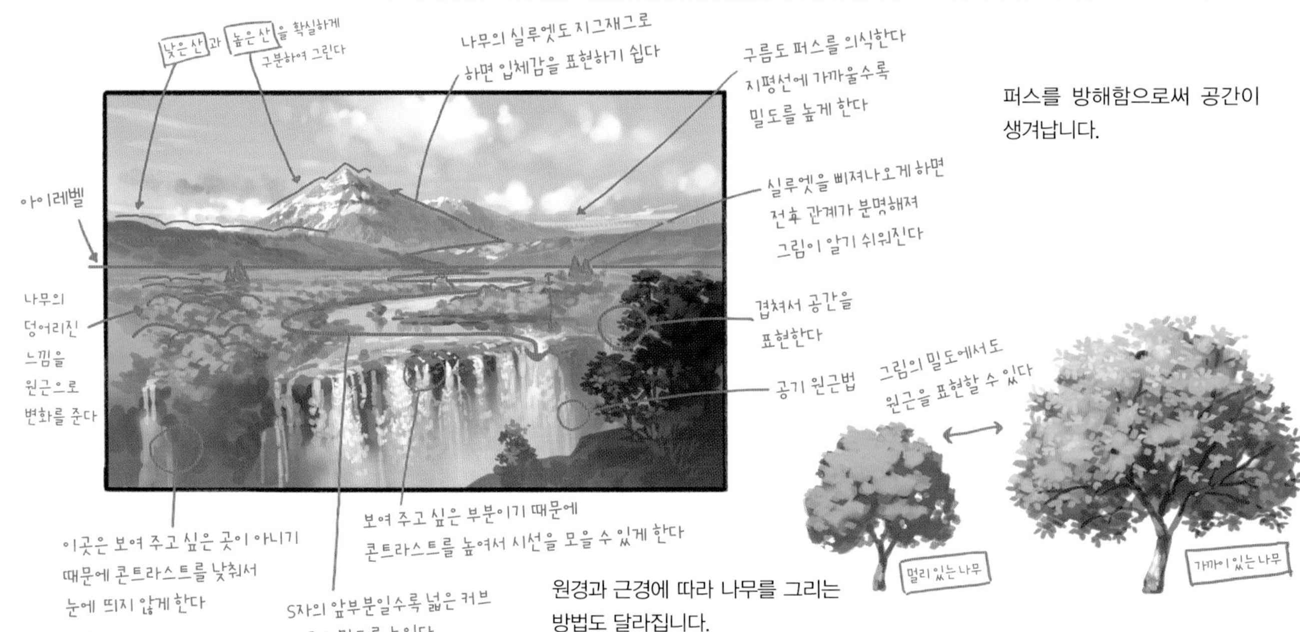

퍼스를 방해함으로써 공간이 생겨납니다.

원경과 근경에 따라 나무를 그리는 방법도 달라집니다.

원경은 압축된다

기본편에서도 설명했던 것과 같이 자연물을 그릴 때 스케일을 표현하려면 S자 라인을 배치하고 원경일수록 묘사를 압축시키는 것이 효과적입니다. 거기에 퍼스의 흐름(강이나 길의 실루엣 등)을 방해하는 것을 배치하면 단번에 공간이 생깁니다.

공기 원근법

가까운 것은 분명하게 그리고 먼 곳에 있는 것을 희미하게 그리는 것으로도 공간을 연출할 수 있습니다. 이것을 공기 원근법이라고 부릅니다. 공기의 층을 그리기 때문에 단순히 밝게 하는 것이 아니라 콘트라스트를 낮추어 그립니다. 또, 멀리 있는 산의 하부를 희미하게 하여 공간을 그리기도 합니다(지상에 가까울수록 공기가 진하기 때문에). 습도가 높으면 공기의 층은 하얗게 보이기 때문에 원경일수록 회색빛을 띠지만, 습도가 낮으면 깨끗한 푸른색이 됩니다. 원경의 채도가 낮아지거나 가을에 하늘의 색이 짙어지는 것도 같은 이유입니다.

구름의 퍼스

구름은 형태를 자유롭게 바꿀 수 있기 때문에 구도의 조정 역할로써 매우 우수합니다. 꼭 다양한 구름의 묘사를 연습해 보세요.

구름과 퍼스

구름도 입체이기 때문에 퍼스가 붙습니다. 먼 곳의 구름은 지평선을 따라 흘러가고 시점에 가까워질수록 생동감 있게 됩니다. 아래 그림과 같이 그림자를 보는 방법을 구분할 수 있는 것만으로도 외형이 꽤 달라집니다.

구름의 형태도 멀리 있을 때는 보이지 않는 디테일이 가까울 때는 보이기도 합니다. 따라서 그림을 그릴 때 원경에서는 큰 덩어리로 그리고 근경에서는 조각난 구름도 세심하게 표현하면 그림의 완성도가 높아집니다.

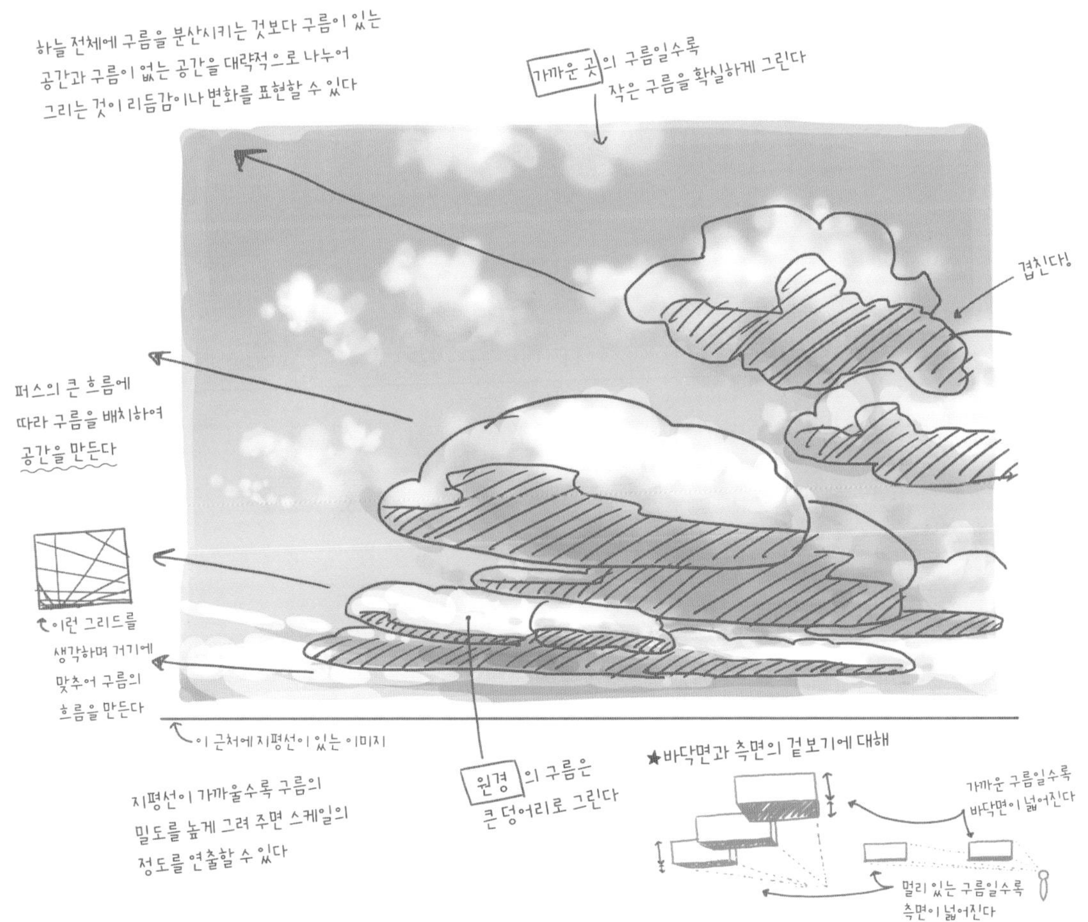

구름의 종류와 크기

구름에는 다양한 종류가 있지만 일단, 아래 구름들의 특성과 크기를 기억해 두세요. 여러 개의 구름을 구분하여 그릴 수 있다면 그림의 계절감도 더 높아집니다.

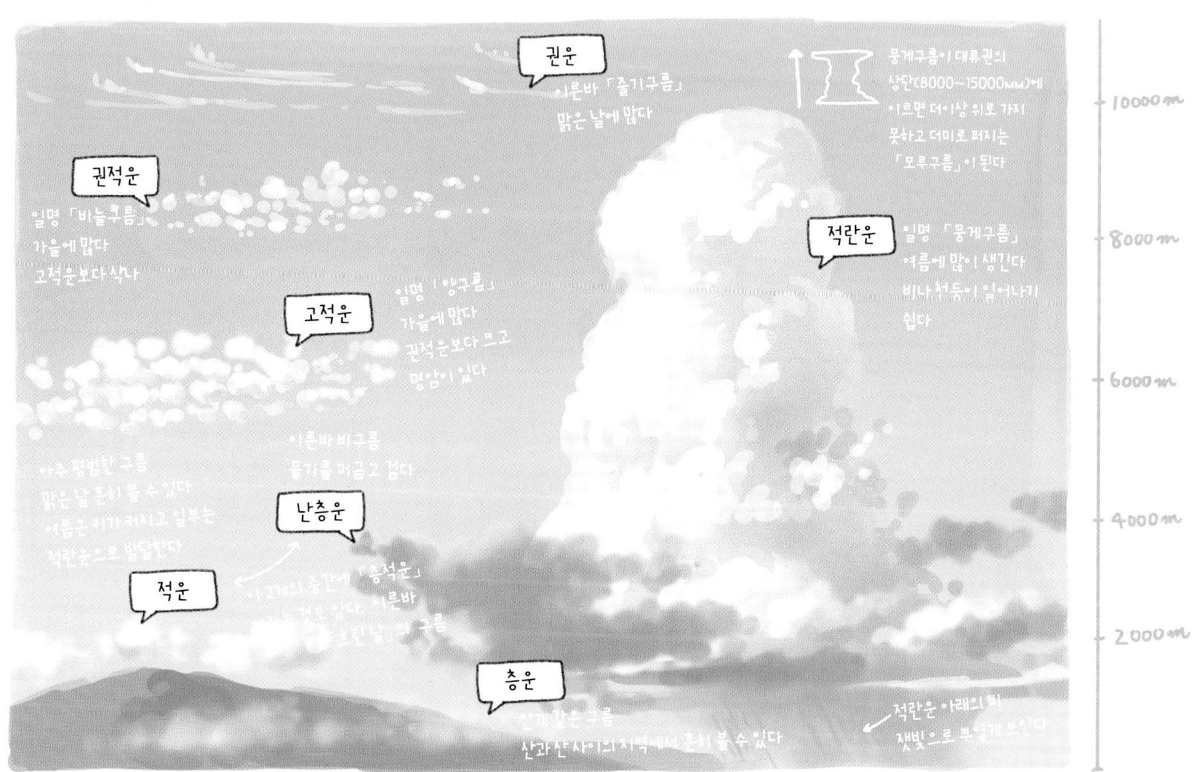

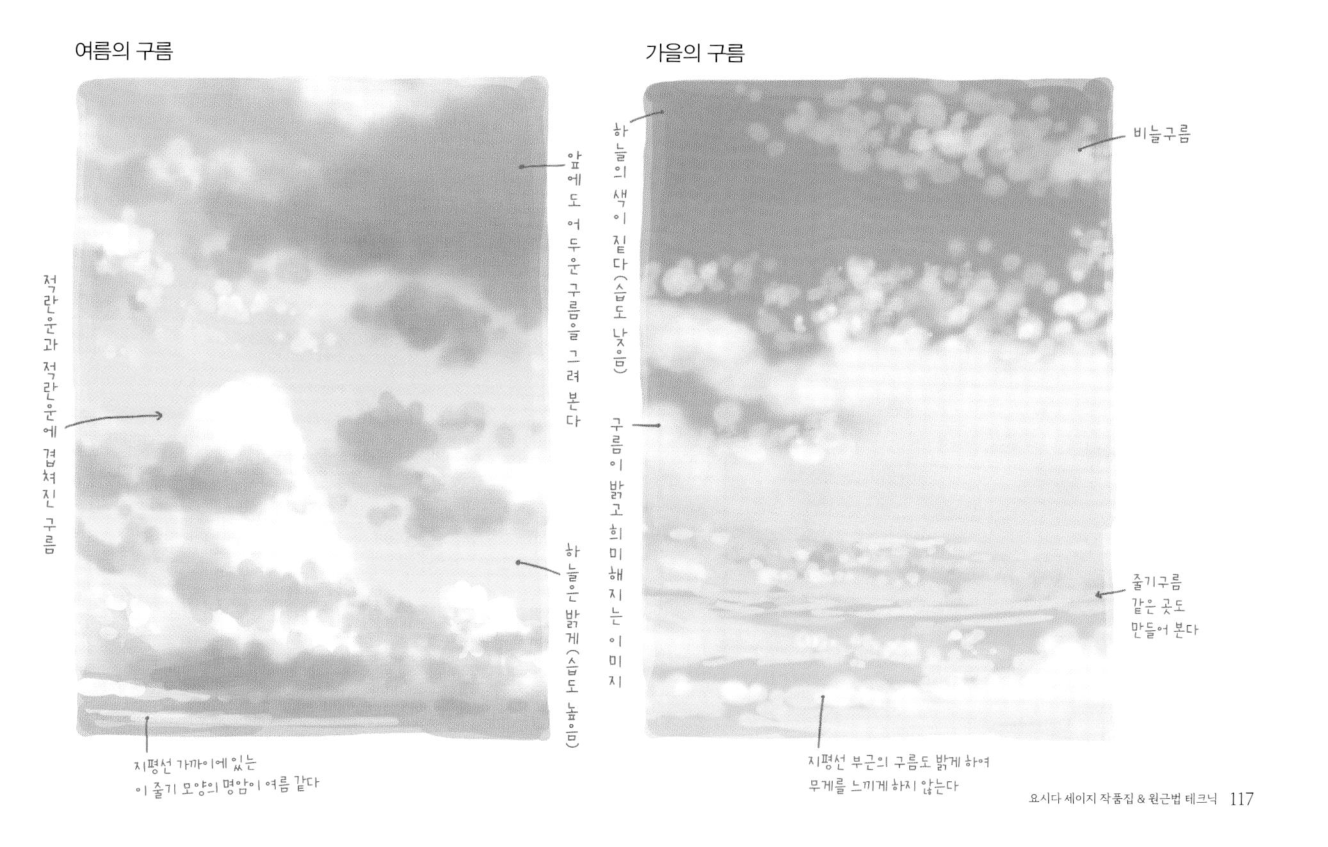

언덕길, 계단 그리는 법

언덕길이나 계단 등의 장면도 퍼스를 응용하면 간단하고 정확한 그림을 그릴 수 있습니다.

언덕길과 계단의 소실점은 주변 건물의 소실점 바로 위 또는 바로 아래에 있습니다. 따라서 먼저 아이레벨상에 건물의 소실점을 두고 그 바로 위나 아래에 언덕길의 소실점을 두어 그것을 기준으로 그리도록 합니다.

소실점을 두는 위치는 화각에 의해서 크게 바뀝니다. 화각을 구하는 것은 번거롭기 때문에 먼저 건물의 주변을 그리고 그 건물에 대해서 어느 정도의 각도로 언덕길이 들어갈지 정한 다음 그 연장선과 소실점 바로 위로 그린 선이 만나는 곳에 소실점을 두면 편하게 구할 수 있습니다.

오르막길 그리는 법

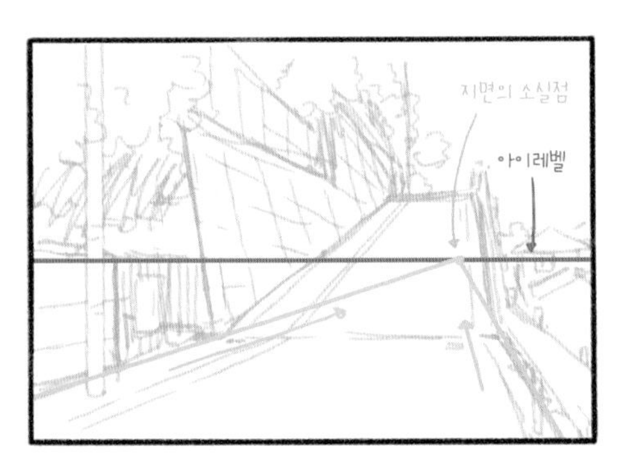

1. 러프를 그리고 지면이나 건물의 선을 기준으로 아이레벨과 지면의 소실점을 정한다.

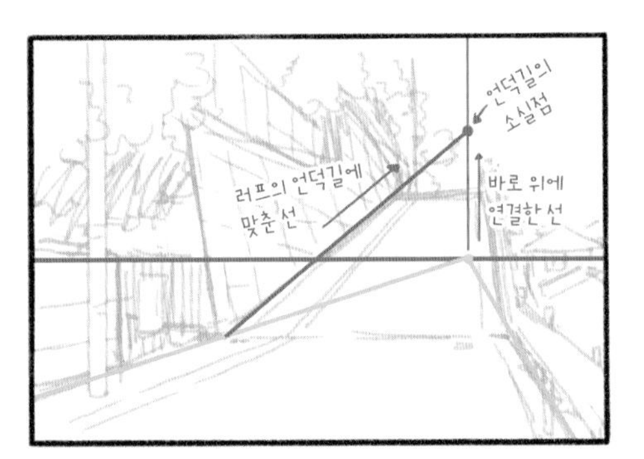

2. 러프의 언덕길 좌우 어느 한 선을 따라 보조선을 그리고 지면의 소실점에서 바로 위로 그린 선과 만나는 곳에 언덕길의 소실점을 둔다.

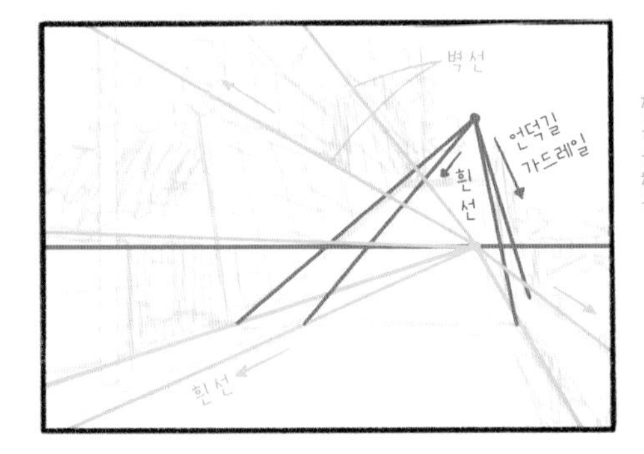

3. 지면과 언덕길 각각의 소실점에서 보조선을 그린다.

4. 보조선을 이용하여 세부를 그려 넣는다.

내리막길 그리는 법

1. 러프를 그리고 지면이나 건물의 선을 기준으로 아이레벨과 지면의 소실점을 정한다.

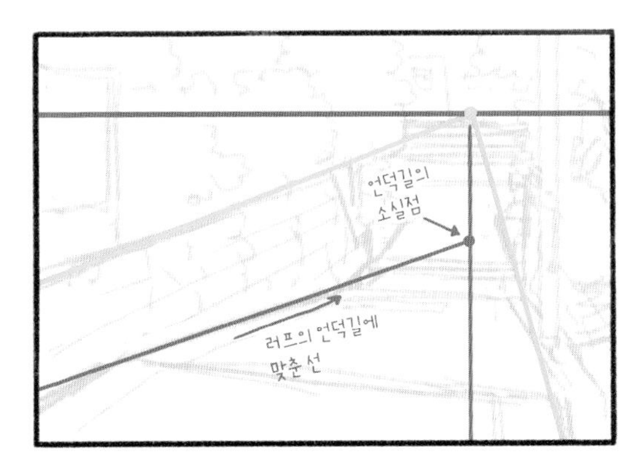

2. 러프의 언덕길 좌우 어느 한 선을 따라 보조선을 그리고 지면의 소실점에서 바로 아래로 그린 선과 만나는 곳에 언덕길의 소실점을 둔다.

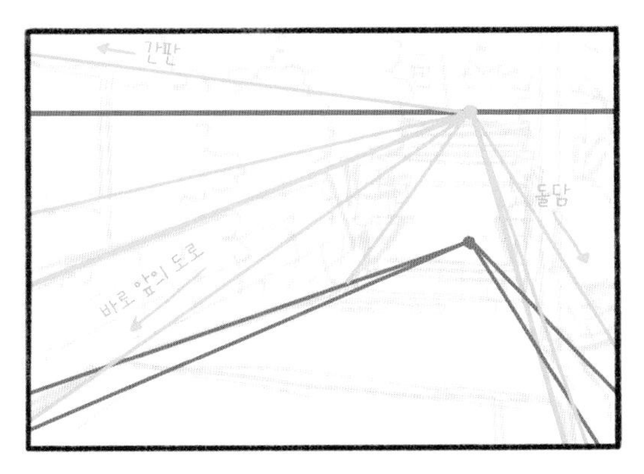

3. 지면과 비탈길 각각의 소실점에서 보조선을 그린다.

4. 보조선을 이용하여 세부를 그려 넣는다.

계단 그리는 법

계단을 그리는 방법은 기본적으로 언덕길과 같습니다. 언덕길과 비슷한 형태를 그리고 옆 방향의 퍼스를 따라서 단차의 선을 그린 다음 위의 면과 측면을 그리면 됩니다. 분할법을 사용하면 원하는 갯수의 계단을 그릴 수 있습니다.

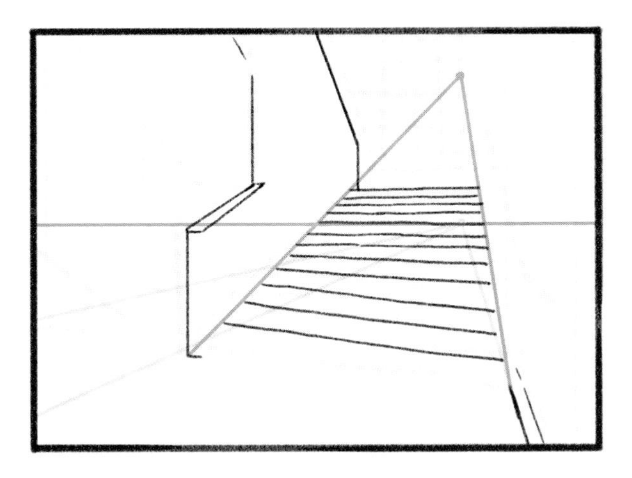

원, 원기둥의 퍼스

원에도 퍼스가 붙습니다. 저는 부자연스럽게 보이지 않으면 '딱딱하고 정확한 작화 같은 건 안 해도 되지 않나'라는 생각을 가지고 있지만, 「원을 부자연스럽지 않게 그린다」는 것은 그림을 그리는데 있어서 가장 어려운 기술 중 하나입니다. 3D로 모델링하거나 변형 도구를 구사할 수 있다면 얘기는 다르지만, 둘 다 안 되면 퍼스 지식을 활용해서 그리도록 합니다.

원 그리는 법

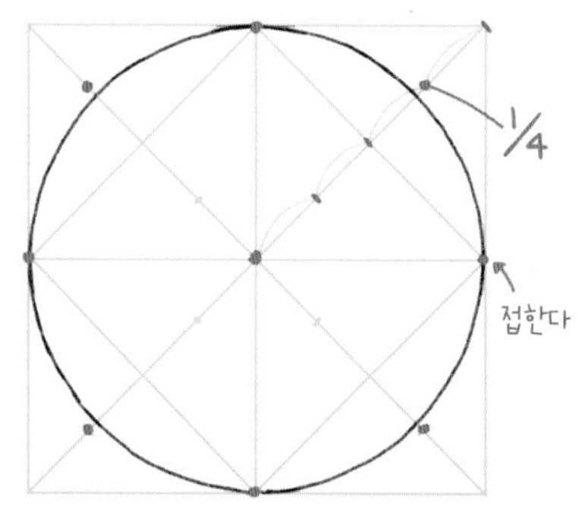

정원은 외접하는 정사각형을 그렸을 때 그 정사각형의 대각선 끝에서 1/4의 약간 안쪽을 지납니다. 이를 기준으로 그립니다.

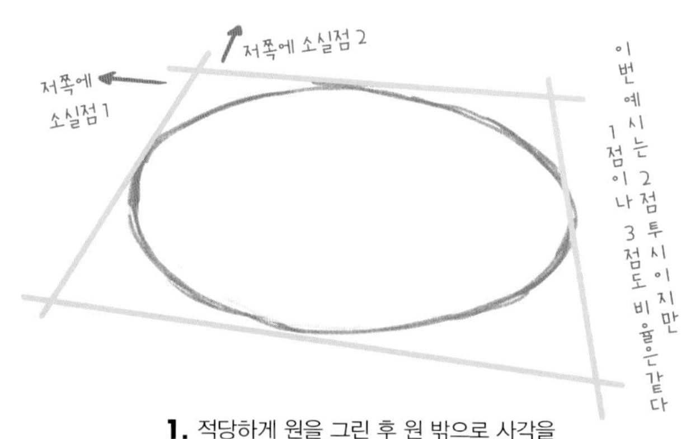

1. 적당하게 원을 그린 후 원 밖으로 사각을 퍼스에 맞추어 그린다.

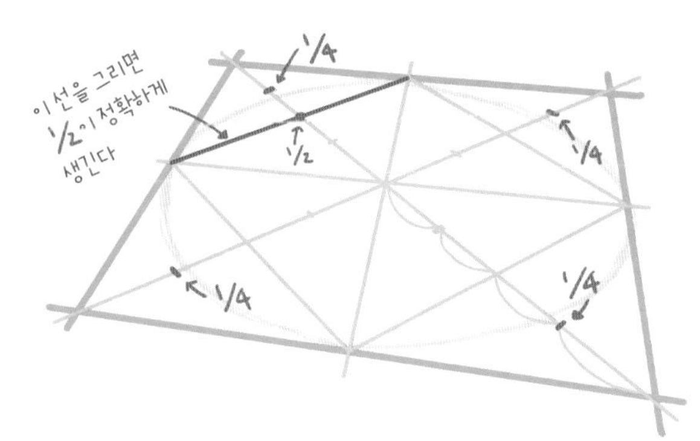

2. 그림과 같이 대각선이나 보조선을 그리고 대각선의 중심에서 1/4의 부분에 각각 표시한다.

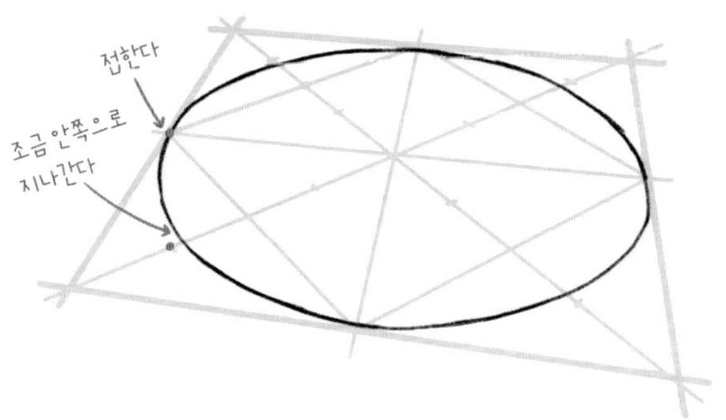

3. 표시의 약간 안쪽을 지나가듯 의식하여 원을 그린다.

원기둥의 퍼스

원기둥은 배경을 그릴 때 매우 자주 사용되는 모티브입니다. 글라스, 병, 화분, 조명 외 타이어나 나선 계단도 원기둥 퍼스가 기본입니다. 아이레벨과 단면도를 의식하면 비교적 쉽게 그릴 수 있습니다.

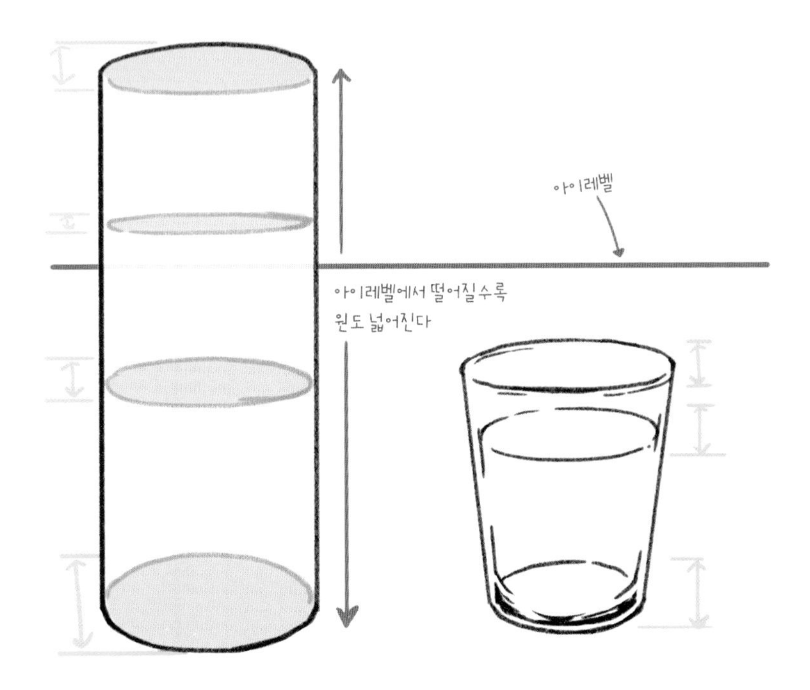

원기둥 그리는 법

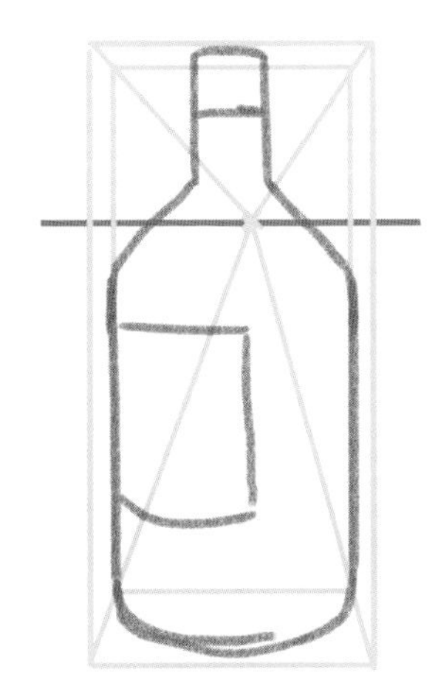

1. 형태의 외곽선을 그리고 그것이 들어가는 직방체를 그린다.

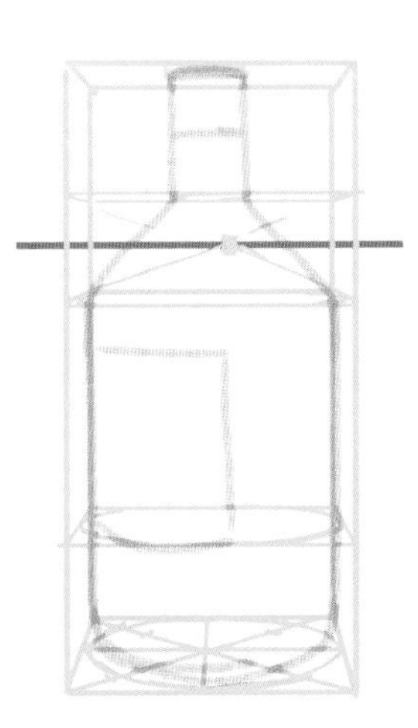

2. 형태가 특징적인 곳에도 소실점을 사용하여 사각형을 그리고 단면 크기의 타원을 그린다.

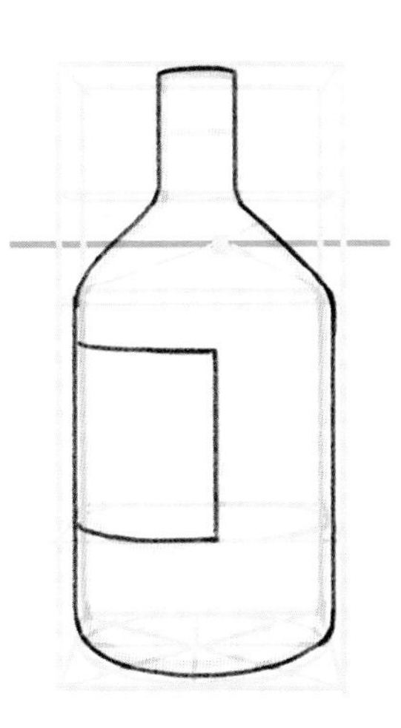

3. 보조선을 따라 선화를 그린다.

4. 세부를 마무리한다.

퍼스가 붙은 원의 법칙

소실점 바로 위나 바로 아래(벽에 그려진 원이나 소실점 바로 옆)에 있는 타원은 소실점과의 거리에 관계없이 동일하게 보입니다. 한편, 조금이라도 옆으로 어긋나면 모양이 일그러집니다. 언뜻 보면 차이를 알기 어렵지만 정확하게 그리고 싶은 경우에는 제대로 사각형의 외곽선을 그려 틀어진 형태를 재현합시다.

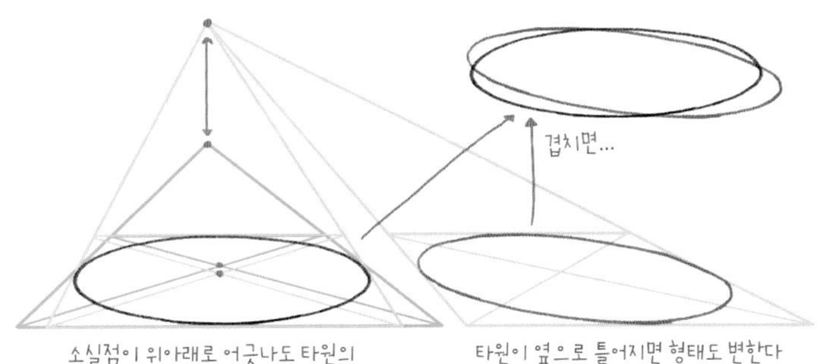

퍼스로 크기를 정하다

기본편에서 설명한 크기에 맞춰 그리는 법의 응용으로, 퍼스를 사용하여 정확한 크기를 정하는 방법입니다. 이 방법이라면 어떤 구도든 정확한 크기로 그릴 수 있습니다.

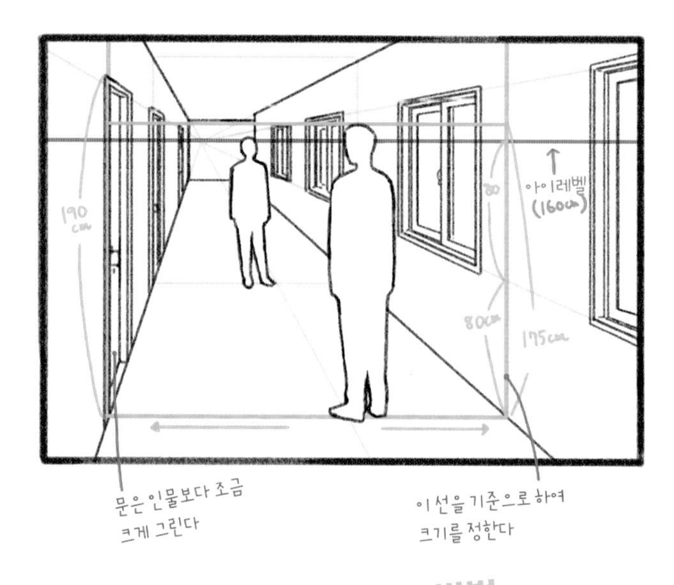

퍼스와 크기

화면 내에 기준이 되는 크기를 설정하면 물건의 크기를 간단하게 결정할 수 있습니다. 예를 들어 키 175cm의 인물을 기준으로 할 경우, 그 인물과 같은 높이에서 본 풍경의 아이레벨은 대략 160cm 높이입니다. 또 그 인물의 신장을 기준으로 요소의 크기를 정확하게 정할 수 있습니다. 만약 정확하게 표현하기 힘들 경우 예를 들어, 30cm 크면 대략 20% 증가로 그리는 등 대략의 비율로 생각하면 좋습니다. 눈대중으로 분할한 눈금만 그려도 꽤 정확하게 그릴 수 있습니다.

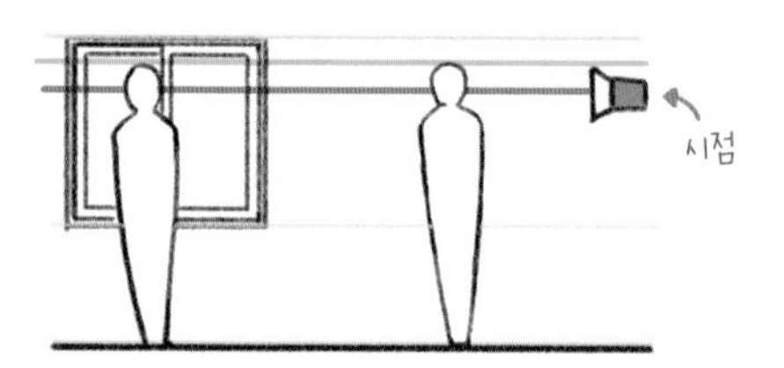

아이레벨을 기준으로 그리는 방법

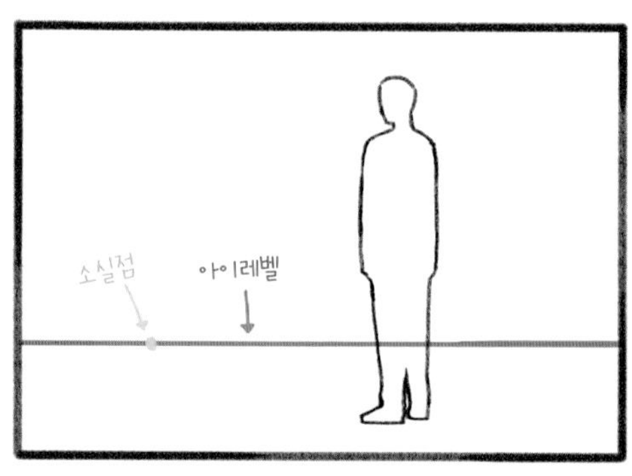

1. 우선 아이레벨을 정한다. 임시로 인물(175cm)의 무릎 위(지상 60cm)로 할 경우, 화면상의 인물 무릎 부분에 수평으로 보조선을 그린다. 이것이 아이레벨이 된다. 소실점도 아이레벨상에 둔다.

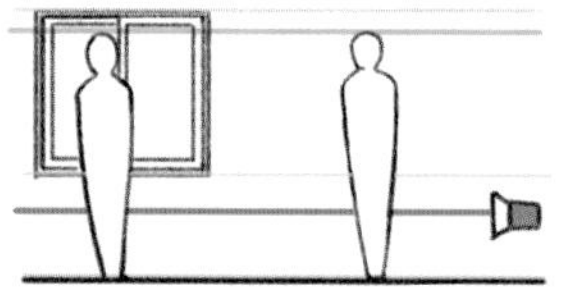

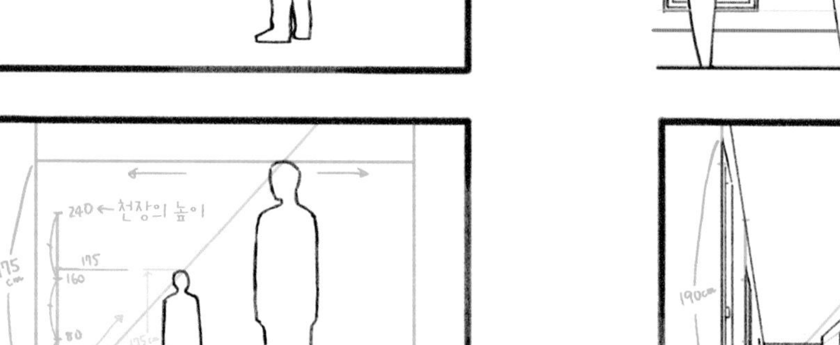

2. 인물의 머리와 발밑에서 소실점을 향해 보조선을 그린다. 이 보조선의 크기에 맞춰서 인물을 그리면 같은 신장의 인물을 그릴 수 있다. 또 이 보조선에서 가로 방향으로 선을 그려 인물의 신장과 같은 높이를 잡아 천장의 높이(240cm) 등을 정할 수도 있다.

3. 물건의 높이를 기준으로 그 외의 요소를 그린다. 문은 190cm로 약간 크게, 창문의 하단을 바닥에서 80cm 정도로 하면 인물의 절반 정도이다. 다른 요소도 같은 요령으로 크기를 정할 수 있다.

2점 투시, 3점 투시로 크기를 결정하는 방법

2점 투시나 3점 투시도 방법은 같습니다. 아이레벨이나 소실점을 결정하면 앞 페이지에서 언급한 기법으로 크기를 결정할 수 있습니다. 단, 3점 투시의 경우는 세로 방향 보소선이 비스듬해지거나 어떤 도법이라도 소실점에서 너무 멀리 떨어지면 형태의 왜곡이 커져 크기의 비교가 어려워지므로 주의합니다.

응용

실제로는 이 그림처럼 다양한 요소들이 복잡하게 얽혀 있습니다. 기본편에서 소개한 것처럼 사물의 표준 크기를 이해한 후 퍼스에 맞추어 그리면 그림에 설득력이 생깁니다.

깊이를 균등하게 분할하다

문, 창문, 장지문, 맹장지 등 같은 크기의 것이 안쪽 방향으로 나열된 경우 대각선 등을 이용하여 정확한 비율로 그릴 수 있습니다. 보기에는 조금 어려워 보이지만 일단 방법을 보면서 실제로 그려 봅시다.

그려 보면 의외로 재미있다!

나중에는 아주 편리!!

4분할 그리는 법

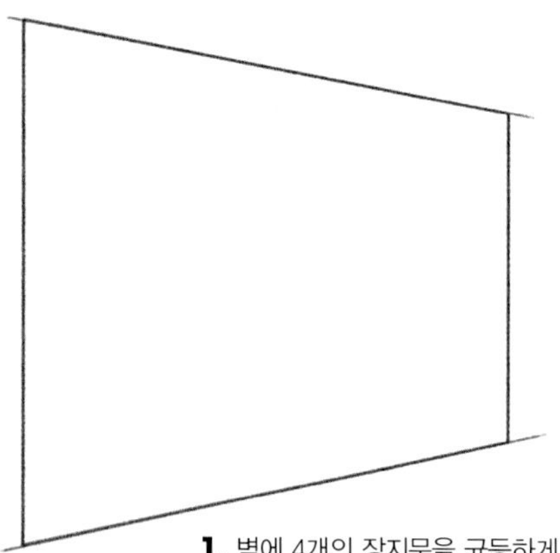

1. 벽에 4개의 장지문을 균등하게 그린다.

대각선

여기가 중심

2. 대각선을 그리면 중심을 알 수 있다.

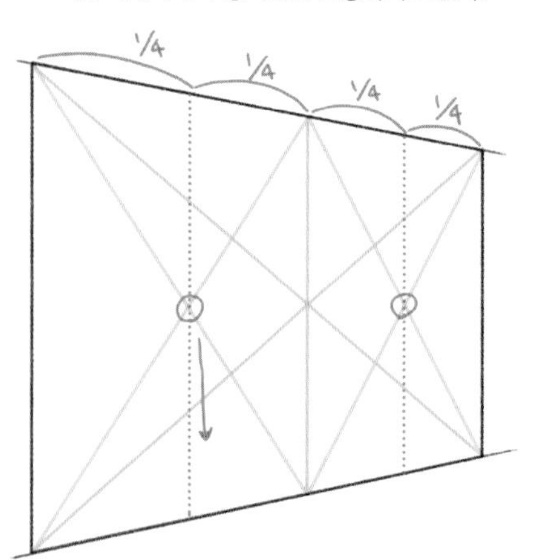

3. 중심에 수직선을 그리고 거기에 대각선을 그려 세세하게 분할한다.

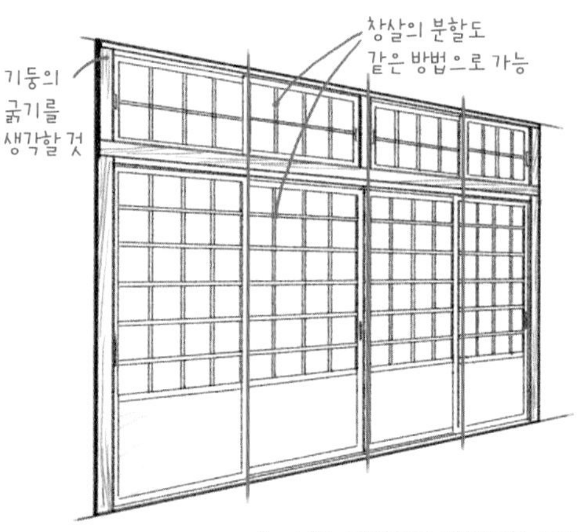

4. 선을 기준으로 장지문을 그린다. 장지문 창살도 같은 방법으로 균등하게 분할할 수 있다.

※일본식 방의 경우는 기둥의 굵기 등이 있으므로 주의

일본식 방 크기에 대하여

일본식 방은 대략 한 칸(약 180cm)을 기본 단위로 하여 만들어져 있습니다. 180cm의 그리드를 따라 만들어져 있기 때문에 그릴 때도 크기를 구하는 것이 매우 간단합니다.

그러면서도 또 정확하게 그리지 않으면 굉장히 부자연스러워지기 쉽습니다. 또한 간토와 간 사이에서는 다다미의 크기가 다르거나, 집마다 각각 조절하기 때문에 주의가 필요합니다.

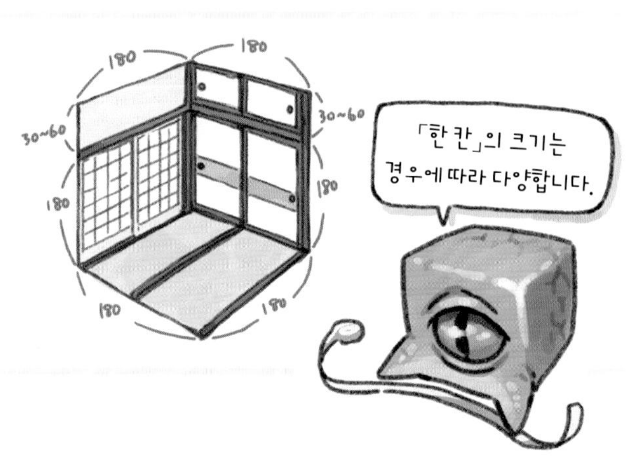

3분할로 하는 방법

중심신을 그리고 기기에 대각선을 그렸을 때 그림의 교점이 정확히 3분할의 위치입니다. 아주 간단하게 3분할을 할 수 있기 때문에 꼭 기억하길 바랍니다.

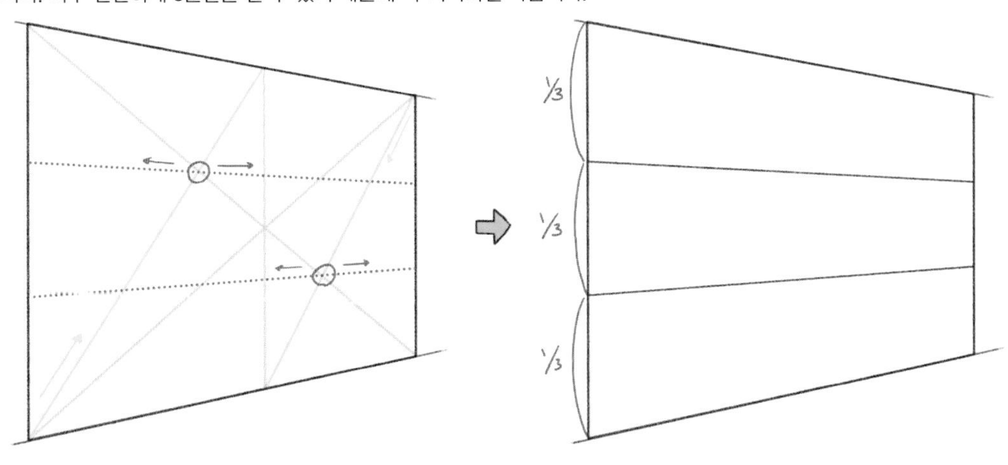

원하는 수로 분할하는 방법

우선 어디든 세로 방향으로 자 등을 사용해 크기를 재서 원하는 수로 분할하고 소실점을 향해 선을 그립니다. 이후 대각선을 그리면 안쪽 방향도 같은 수로 분할할 수 있습니다.

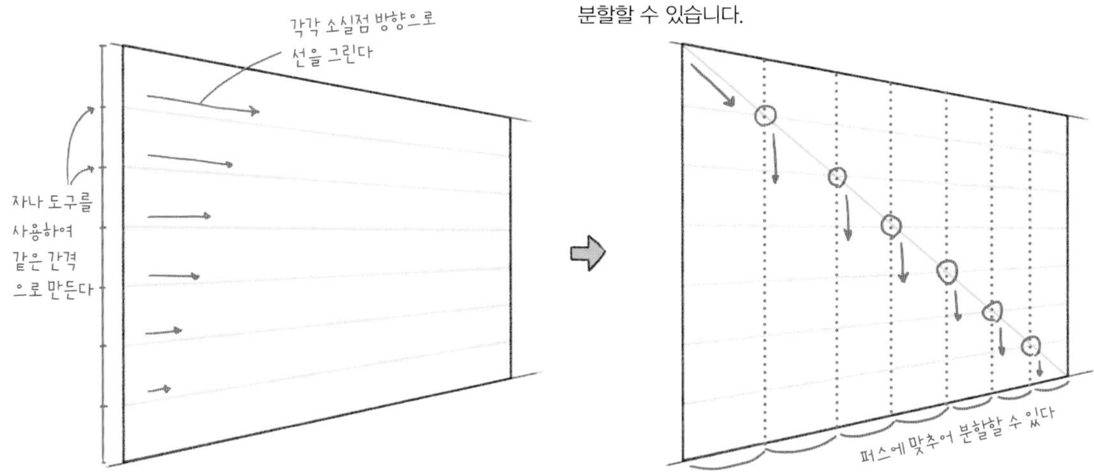

변형 툴로 보다 정확하게

변형 툴을 사용할 수 있다면 먼저, 평면도를 그려서 변형시키면 정확한 그림을 그릴 수 있습니다. 평면도는 크기를 쉽게 확인할 수 있기 때문에 복잡한 배경 등은 이 방법을 추천합니다.

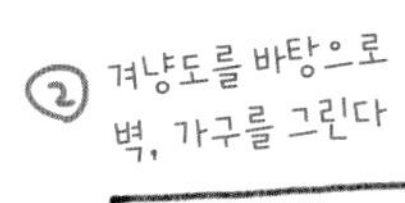

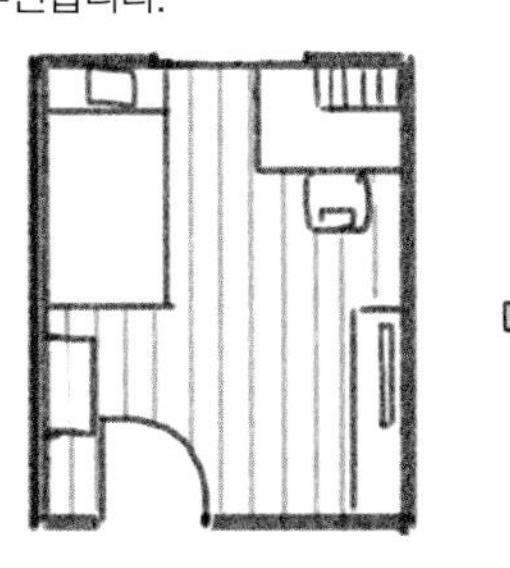

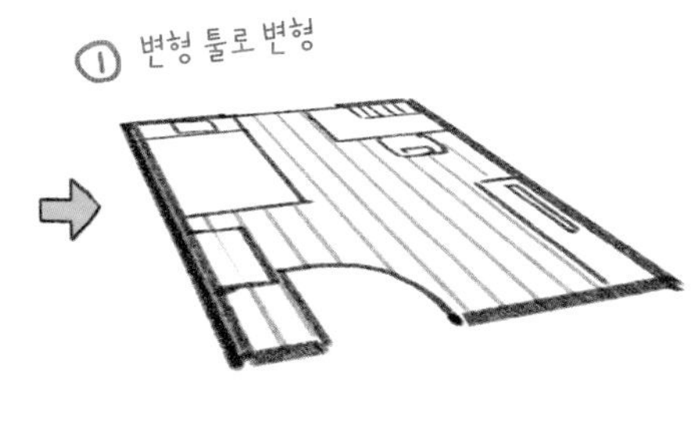

깊이를 결정하는 방법(화각에 대하여)

지금까지의 내용을 잘 이해했다면 문이나 창문 등의 폭(깊이)을 어떻게 결정하는지 의문이 생길 것입니다. 먼저 답을 말하자면 「화각에 따라 다르기 때문에 부자연스럽지 않으면 자유롭게 결정해도 된다」입니다. 틀리는 경우가 생긴다면 다른 요소와 비교해서 모순이 있을 때뿐입니다. 여기서는 화각에 대해 설명하겠습니다.

화각이란?

화각이란 알기 쉽게 말하면 카메라의 줌이나 망원 등을 말합니다. 조금 더 정확하게는 「카메라로 촬영했을 때 찍히는 범위」입니다. 주위가 넓어 보이면 광각, 먼 것을 줌 하면 망원이라고 대략적으로 기억합시다. 어느 쪽도 극단적으로 하면 부자연스럽기 때문에 신중하게 합니다.

표준

보통의 화각. 플랫하고 평범한 인상이다.

광각

광각은 시야를 넓게 잡고 원근감을 강조하는 이미지. 긴장감, 불안정함, 박력을 표현하고 싶을 때 사용한다.

망원

카메라를 줌 한 상태. 원경을 확대하여 안쪽 방향이 압축된다. 웅장함, 차분한 느낌을 준다. 포트레이트도 이와 같다.

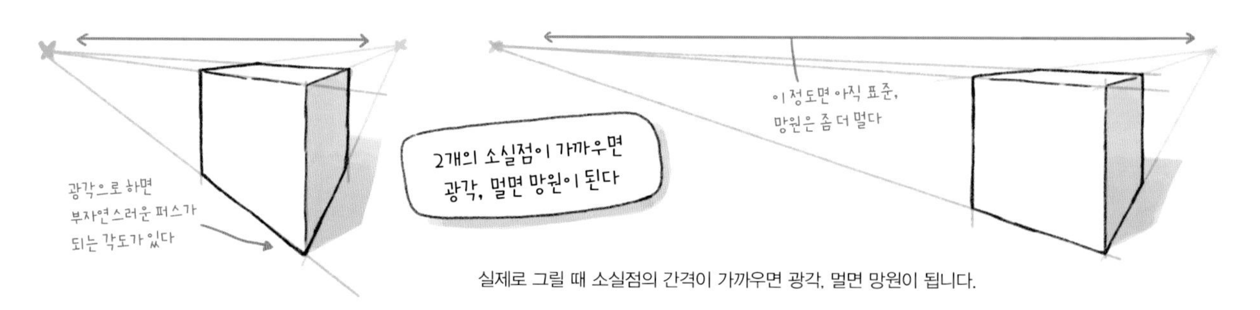

실제로 그릴 때 소실점의 간격이 가까우면 광각, 멀면 망원이 됩니다.

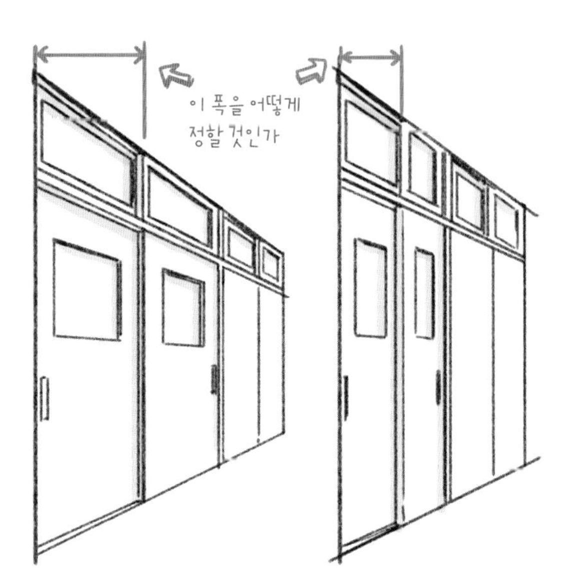

실제로 폭을 정해 본다

그럼 실제로는 문이나 창문의 폭을 어떻게 결정하는지 알아봅니다. 먼저 러프를 그려 그림 전체의 구성을 결정하고 벽의 균형 등을 정하고 나서 역산하면 세부적인 폭도 자연스럽게 정해집니다. 그러나 미리 계획하는 것은 힘들기 때문에 익숙하지 않을 때는 무리해서 결정하지 말고 모순이 생기지 않게 그리면서 점차 익숙해지도록 합니다.

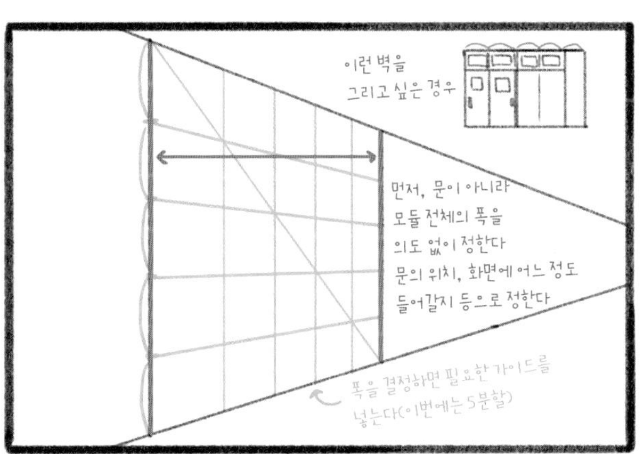

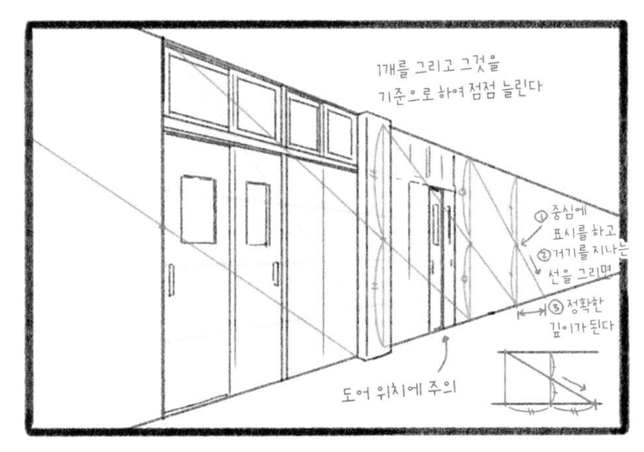

깊이의 압축

정확한 퍼스에서는 원경만큼 깊이가 압축됩니다. 특히 인공물을 그릴 때는 깊이를 실제보다 넓게 그리기 십상이므로 조심합니다. 실제로는 오른쪽 사진처럼 꽤 극단적인 퍼스가 생깁니다. 이것은 망원뿐만 아니라 광각으로 그려도 원경에서 같은 일이 일어나기 때문에 조심하도록 합니다.

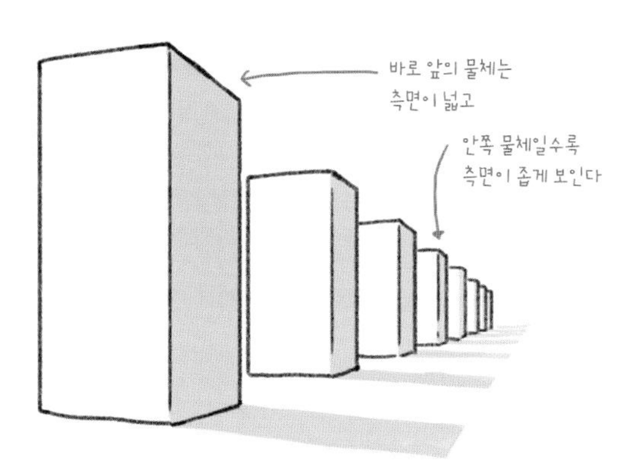

어안 퍼스

어안 렌즈의 퍼스는 지금까지의 투시 도법의 응용 중 하나입니다. 어안 퍼스는 2점 투시 등에서 생기는 부자연스러운 왜곡을 피할 수 있고 광각 구도보다 넓은 공간을 그릴 수 있어 쉽게 박력을 표현할 수 있는 장점이 있습니다. 단지 곡선 중심이기 때문에 작화가 힘들거나 그리는 방법에 따라서는 오히려 부자연스러워지는 등 단점도 있습니다. 그 밖에도 지평선의 위치에 따라 안쪽 방향의 선이 크게 변화하거나 세세한 곳까지 설명하려고 하면 공간이 매우 부족하지만, 재미있는 연출이기 때문에 일단 보고 기억해 둡시다.

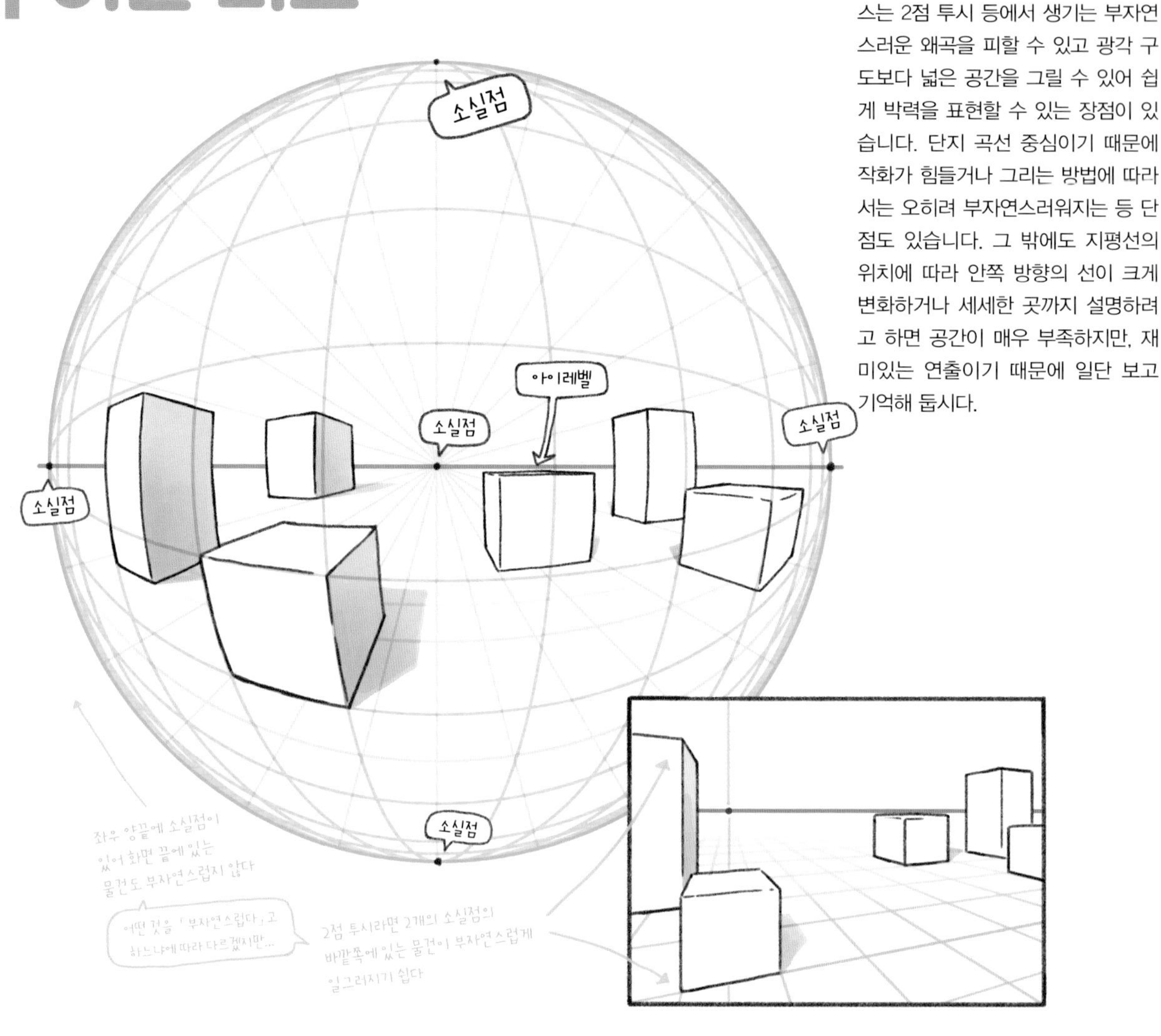

실제로 사용한 예제입니다. 일반적인 수면을 그리면 재미없기 때문에 어안 퍼스로 화면에 박력을 표현하고 있습니다. 지평선 외에 크랜베리의 틈새로 들여다보는 수면에도 퍼스가 제대로 생기도록 했습니다. 인공물이 거의 존재하지 않기 때문에 퍼스가 다소 어긋나 있어도 신경이 쓰이지 않습니다.

자연스러운 깊이

방이나 골목 등 좁은 공간을 정확한 퍼스로 그릴 때 광각이라면 앞쪽의 왜곡이 커지고 망원이라면 깊이가 너무 압축되어 어느 쪽이든 부자연스러워지기 쉽습니다. 그럴 때는 소실점의 위치를 여러 개 잡아 자연스러운 깊이를 연출하기도 합니다.

그 밖에도 정확한 퍼스로 그리면서 물건의 크기와 배치 등을 연구하여 좁지 않은 느낌으로 구성할 수 있습니다. 취향에 따라 구분하여 사용할 수 있도록 합니다.

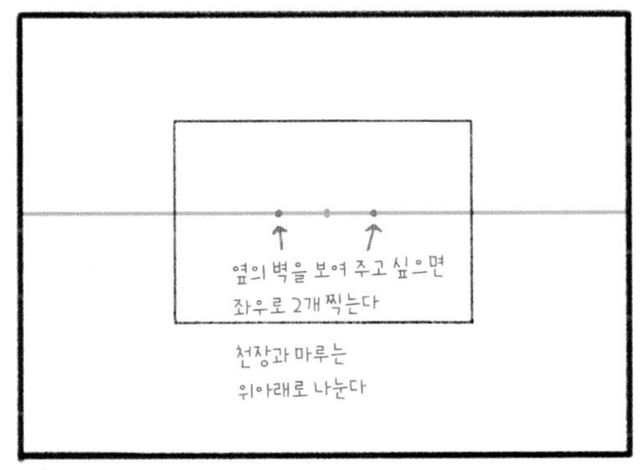

① 보여 주고 싶은 면에서 떨어진 방향에 2개의 소실점을 찍는다

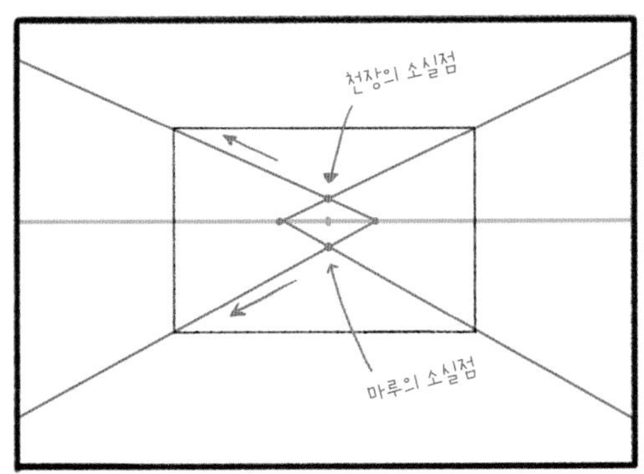

② 각각의 점에서 보조선을 그리고 교차하는 점에도 소실점을 찍는다

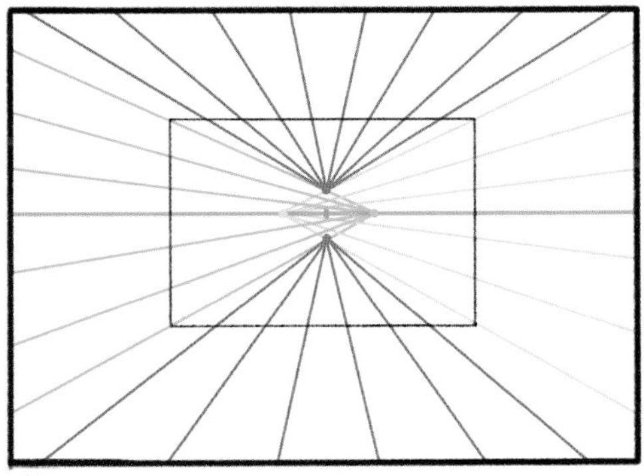

③ 나머지는 각 소실점에서 보조선을 그리고 그것을 바탕으로 그린다

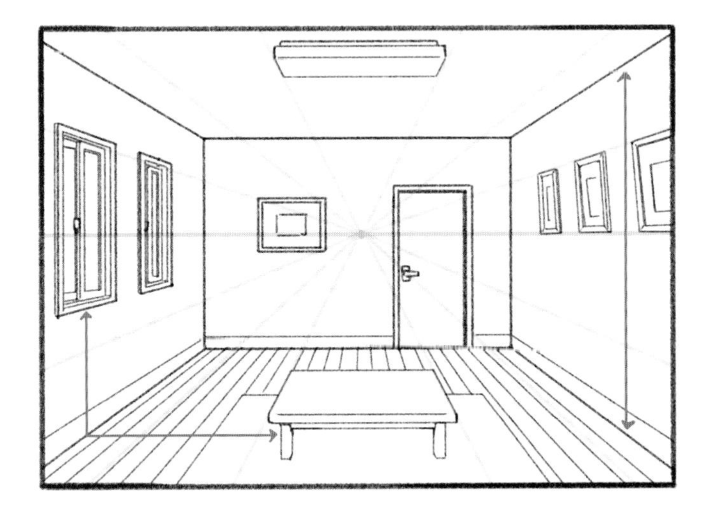

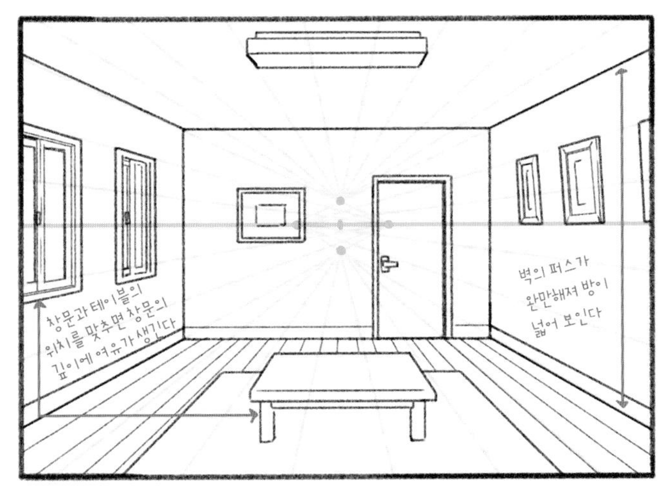

인물에서 퍼스를 정하다

구도의 관계에서 인물의 위치가 이미 정해져 있어 움직일 수 없을 때 나중에 소실점이나 아이레벨을 결정하려면 아래와 같이 해결합니다.

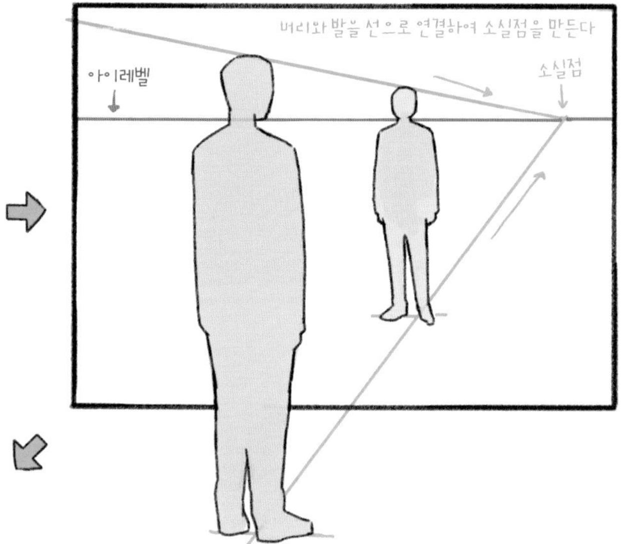

인물에서 퍼스를 결정할 때는 우선, 대략이라도 두 사람의 전신의 균형을 결정하고 머리와 다리를 통과하는 각각의 보조선을 그리면 그 교차점이 소실점이 됩니다. 동시에 아이레벨도 정해지기 때문에 나머지는 그것을 바탕으로 배경을 그려 나갑니다. 이것은 화면이 기울어져 있을 때도 유효하지만, 아이레벨은 화면의 기울기만큼 기울어지므로 주의해 주세요. 1, 2점 투시에서 인물이 직립이라면 아이레벨은 인물에 수직이 됩니다.

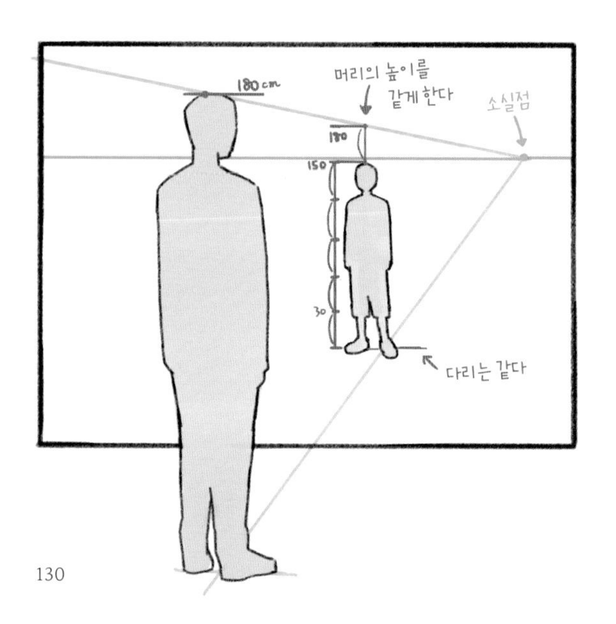

키가 다를 때

두 사람의 키가 다를 경우에는 어느 한쪽의 키에 맞추어 보조선을 그립니다. 예를 들어 180cm와 150cm라면 비율은 6:5이므로, 작은 쪽에 1/5(30cm)을 더하면 같은 높이가 됩니다. 나머지는 위와 마찬가지로 머리와 다리를 통과하는 선을 그려 교차점을 구합니다.

화면 밖에 소실점이 있을 때의 퍼스

아날로그로 그릴 때나 소실점이 화면에서 너무 멀어 퍼스를 결정할 수 없을 때는 이 방법으로 해결할 수 있습니다.

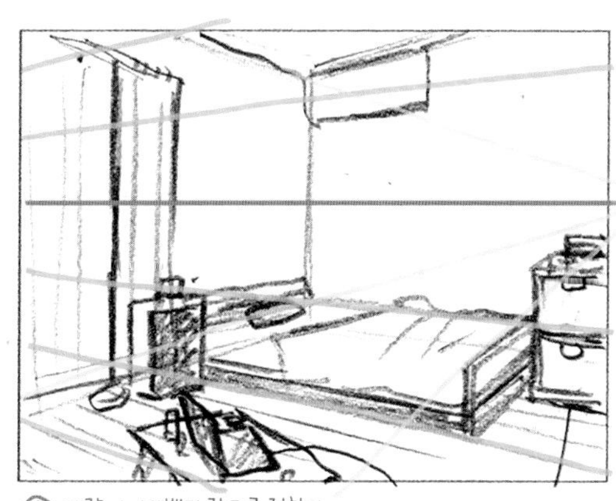

① 대략 아이레벨과 각도를 정한다

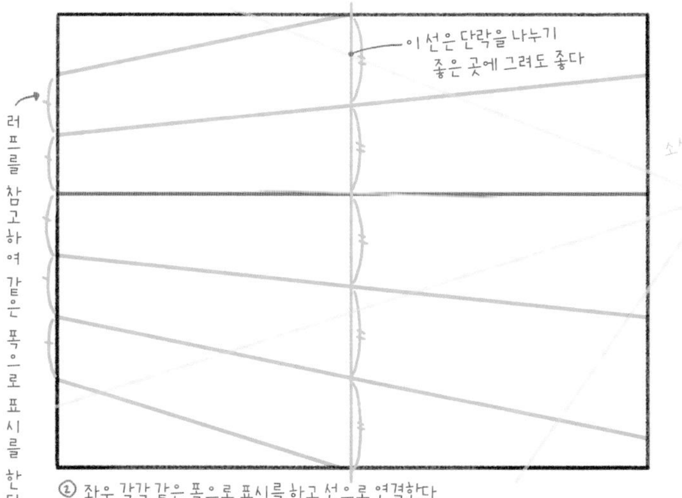

② 좌우 각각 같은 폭으로 표시를 하고 선으로 연결한다

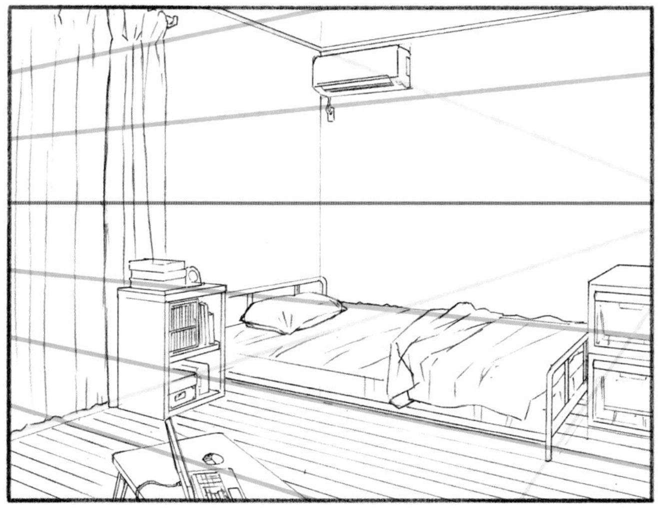

③ 보조선을 사용하여 작화한다

1. 먼저 러프를 그려 대략 선의 균형을 잡는다.

2. 아이레벨과 기준이 되는 선을 그리고 그림과 같이 좌우 각각 같은 폭이 되도록 표시하여 보조선을 그린다. 번거롭다면 대략 균형을 맞추고 오른쪽 2cm, 왼쪽 3cm 등의 간격으로 눈금을 그린다.

3. 눈금을 따라 보조선을 그린다.

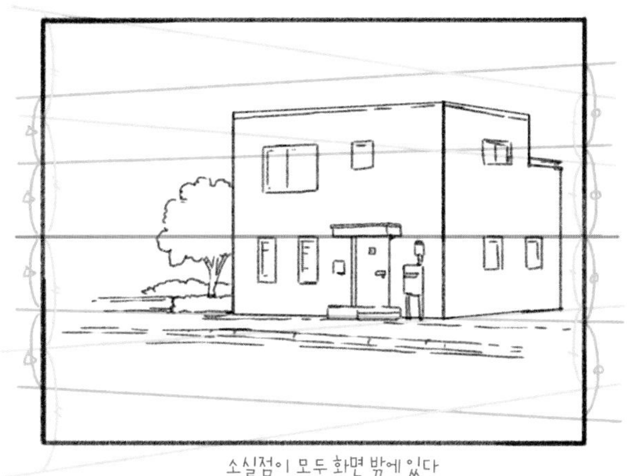

소실점이 모두 화면 밖에 있다

같은 방법으로 좌우 양쪽의 소실점을 구하지 않고도 작화할 수 있습니다. 다만, 매우 복잡해지므로 아날로그로 작업할 때는 주의가 필요합니다. 스캔할 때 지워지는 정도의 색 펜으로 보조선을 그리는 것이 편합니다.

퍼스로 하기 쉬운 실수

처마, 차양, 창틀 등의 퍼스가 앞과 안쪽에 가지런히 놓여 있지 않은 경우가 종종 있습니다. 바로 앞에 있는 것은 올려다보는 이미지가 있지만, 안쪽의 퍼스와의 정합성을 의식합시다.

언덕길이 너무 가파르게 올라가는 것도 자주 있는 실수입니다. 대개는 건물의 깊이를 너무 넓게 하기 때문이므로 먼저, 그 건물이 세워져 있는 토지가 어떻게 되어 있는지를 생각하고 깊이의 압축을 의식합시다.

지평선에서 튀어나온 빌딩의 옥상은 기본적으로 내려다볼 수 없습니다. 상공에서의 시점에서 그리면 빌딩은 아무리 높아도 지평선보다 아래가 됩니다.

사람의 눈과 퍼스의 차이

흔히 「사람들이 보는 세상은 일그러져 있고 투시도법과는 다르다」고 하는데 그것은 반은 정답이고 반은 정답이 아닙니다. 사람 눈의 센서(망막)는 아래 그림과 같이 곡면으로 정보를 받기 때문에 깊이뿐만이 아니라 상하좌우로 떨어진 것도 작게 찍힙니다. 꼭 어안 퍼스처럼 왜곡된 방법이 됩니다. 한편, 카메라로 찍었을 경우는 센서가 평면이므로 투시도법과 같이 상하좌우로 아무리 떨어져도 작게 찍히지 않습니다.

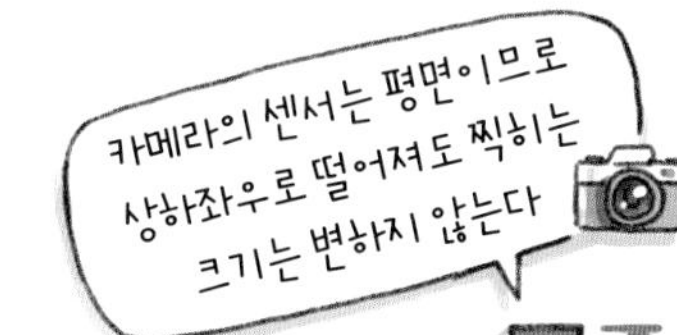

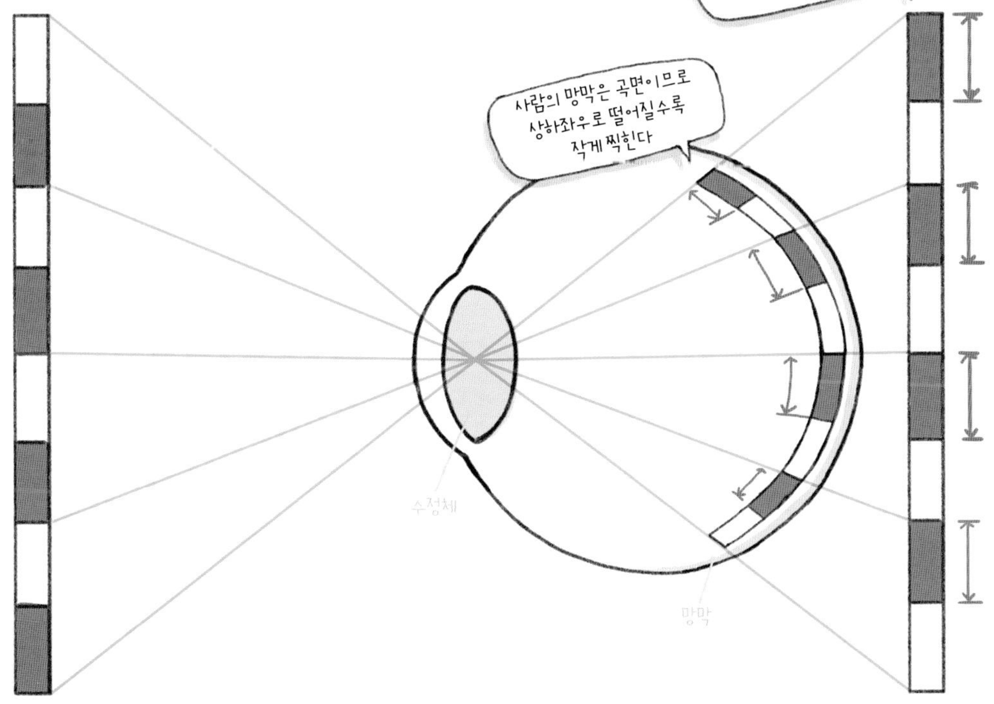

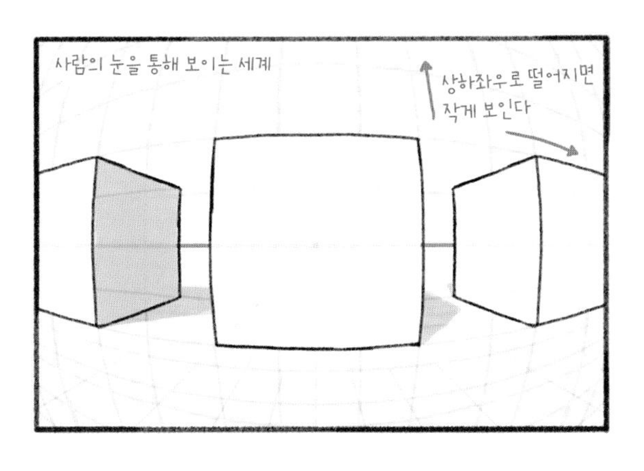

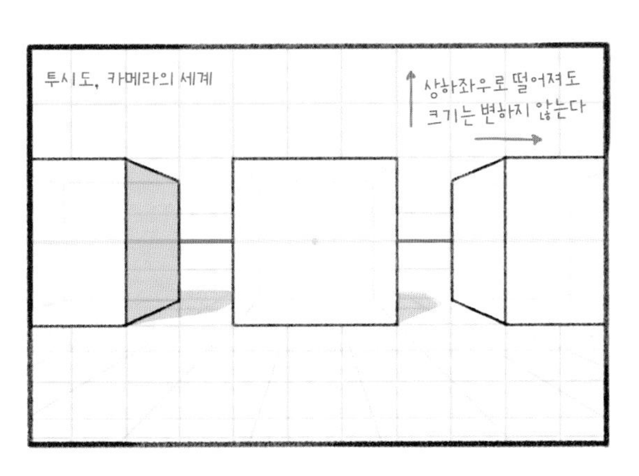

투시도법이 정확하지 않은 것은 아닙니다. 투시도법으로 그린 것은 「망막을 통과하지 않은 상태와 같기」 때문에 적절한 거리에서 보면 「현실과 같음」으로 보일 수 있습니다. 오히려 망막의 왜곡을 계산해서 「사람이 본 것과 똑같이 그린 그림」은 그것을 볼 때 다시 한 번 왜곡하기 때문에 결과적으로 부정확하게 보이게 됩니다.

단, 모든 그림을 적절한 거리에서 볼 수 있는 것이 아니고 사람은 항상 시야의 전부를 의식하고 있는 것은 아니기 때문에 왜곡을 완전하게 계산해서 그리는 것은 어려운 일입니다. 그래서 어안 퍼스에 대해서는 「정확한지의 여부는 접어 두고 유효한 표현이다」라고 이해하면 될 것 같습니다.

그림자의 퍼스

그림자에도 퍼스가 붙습니다. 적절한 형태로 그려진 그림자는 모양을 더 명확하게 하기 때문에 그림자의 퍼스를 잘 의식해서 그려 보세요.

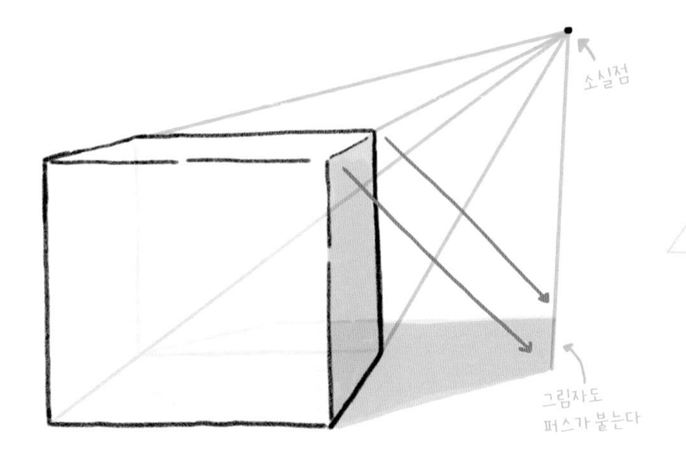

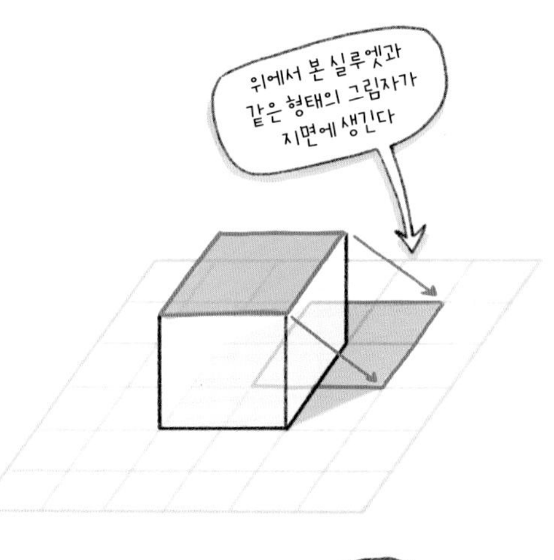

그림자의 형태를 알기 어려운 경우, 형태가 바뀌어 있는 곳에 광원으로부터 보조선을 긋거나 그림자가 생기는 위치에 윗면을 그리고 선으로 연결하여 그립니다. 바로 옆에서 본 실루엣 형태의 그림자를 그리기 쉬운데, 바닥에 생기는 그림자는 위 그림처럼 위에서 본 실루엣이 기준이 됩니다. 또한 모티브와 같은 퍼스도 생기기 때문에 주의합니다.

거울의 퍼스

거울의 퍼스도 이론을 알기 어려운 것 중 하나입니다. 기본적으로는 거울 안에 「같은 세계가 반전되어 존재하고 있는」 것처럼 그립니다. 거울에 정면으로 비친 것은 소실점이 실상과 거울에 비친 상이 같고 기울어지면 소실점의 위치도 바뀝니다.

또한 단순히 반전되어 찍히는 것이 아니라 관점에 따라서 아래 그림과 같이 위치 관계가 어긋나므로 주의합니다.

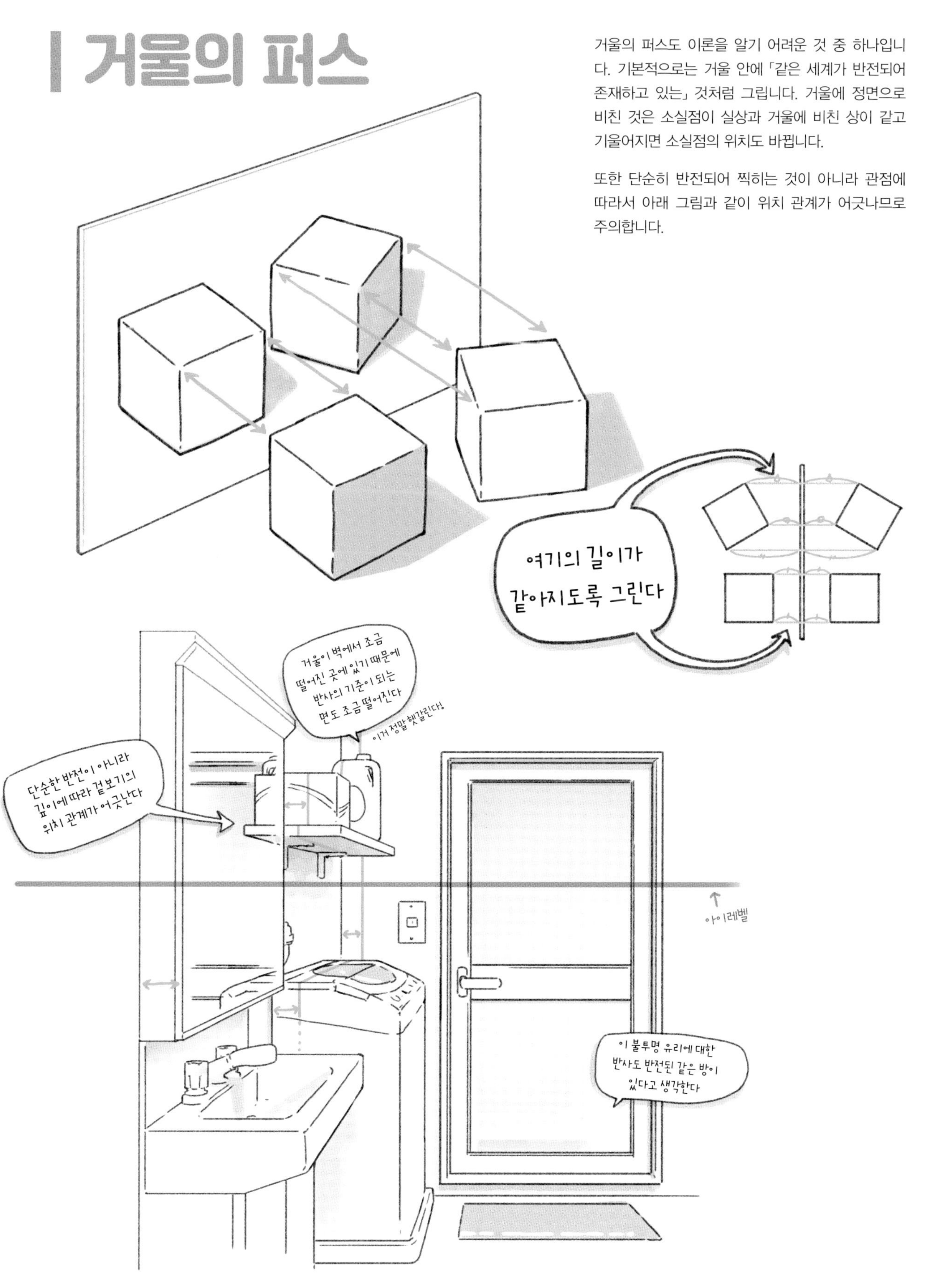

구도의 기본

「보기 좋은 구도」라는 것은 어느 정도 연구되어 정해져 있습니다. 대표적인 몇 가지를 소개합니다. 이는 어디까지나 아이디어의 기점으로, 이것으로부터 그림의 테마에 맞는 구도를 짜는 것이 중요합니다.

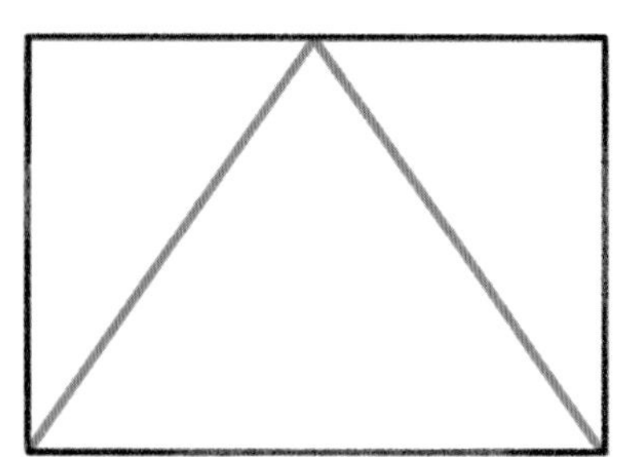

삼각

안정적이고 차분한 인상. 거대한 것, 무거운 것, 크기의 강조.

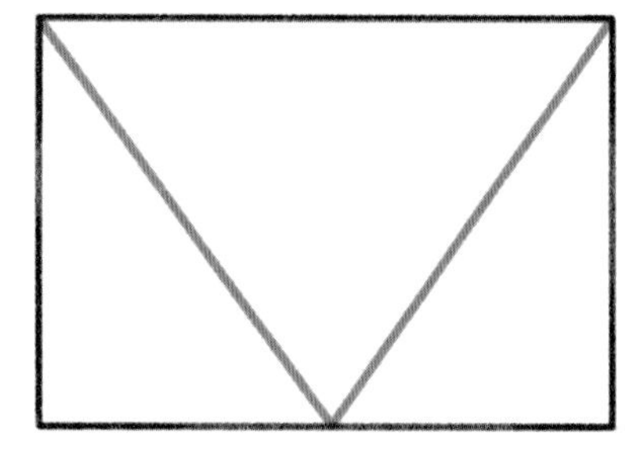

역삼각

불안정, 움직임이 있는 인상. 다이내믹한 공간의 확대.

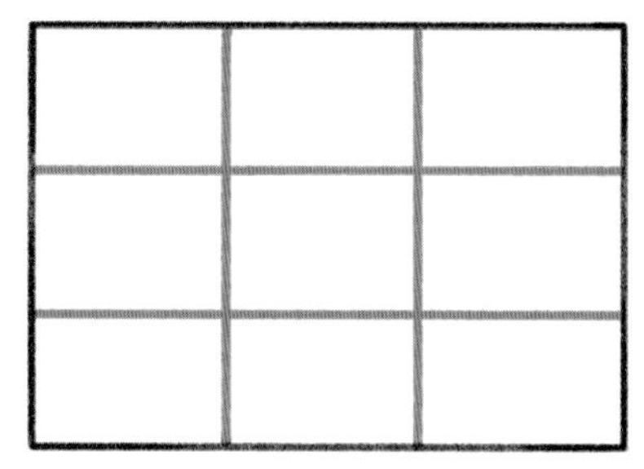

삼분할

테마의 명확화. 3분할의 교점에서 2점을 선택하여 배치하면 성공하기 쉬움.

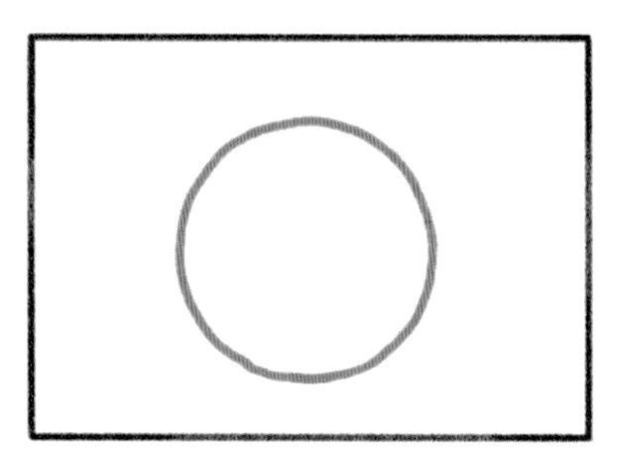

원

평면적, 객관적. 포트레이트(portrait) 등 주역의 마력을 끌어내고 싶을 때 사용.

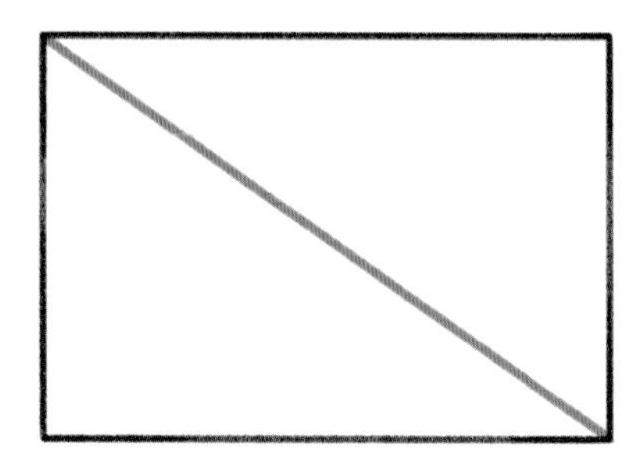

대각선

화면을 둘로 분할. 생동감, 대비나 시선 유도의 강화.

방사

공간을 강조. 강한 인상 부여와 시선 유도. 꽉 막힌 느낌이나 집중.

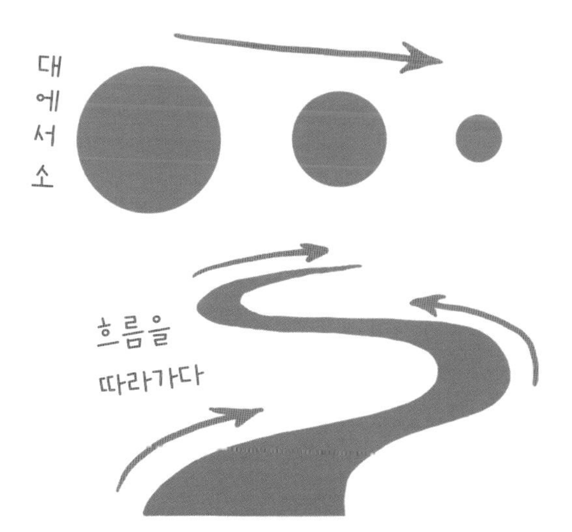

시선 유도란?

그림을 보는 사람의 시선은 우선 「큰 것」 「밝은 곳」 「인간의 실루엣」 「피부색」에 처음 이끌려 거기서부터 주위로 움직여 갑니다. 또 길이나 강과 같은 흐름이 있으면 그것을 따르듯이 움직이게 됩니다. 이것을 이해함으로써 그림을 보는 사람의 시선을 컨트롤하는 것이 시선 유도이고, 이를 통해 그림의 주제를 더 돋보이게 할 수 있습니다. 인물이 대표적인 그림의 경우 특히, 눈이 가장 주목받기 쉬운 포인트입니다. 다음으로 얼굴 전체와 표정, 손, 발의 순서로 시선이 움직입니다. 따라서 인물 일러스트 같은 경우에는 우선 눈을 인상적으로 그리는 것이 효과적입니다.

기본적으로 제일 먼저 눈길이 가는 것은 인물이기 때문에 풍경 일러스트의 경우는 눈에 띄는 곳에 인물을 두고 거기서부터 길 등 시선을 유도하는 선을 그린 후, 그 앞에 세계를 상징하는 특징적인 아이템을 두는 것이 기본입니다. 근경과 원경을 명암 등으로 대비시키는 것도 중요합니다. 안정감을 주고 싶다면 연상하기 쉬운 것을, 의외성을 주고 싶다면 위화감이 있는 것을 조합하여 그림의 인상을 논리적으로 컨트롤 할 수 있습니다. 거기에 무엇을 가지고 오느냐가 그대로 그림의 재미가 됩니다.

모티브에서 받는 인상의 차이

안심감

앞에 밝고 크게 귤을 그리고 코타츠와 미닫이문으로 일본식 방을 표현합니다. 창밖을 어둡게 하여 겨울답게 추워 보이는 분위기를 주고 있습니다. 모든 요소를 쉽게 연상할 수 있는 것으로 포근함, 그리움, 아늑함을 느낄 수 있습니다.

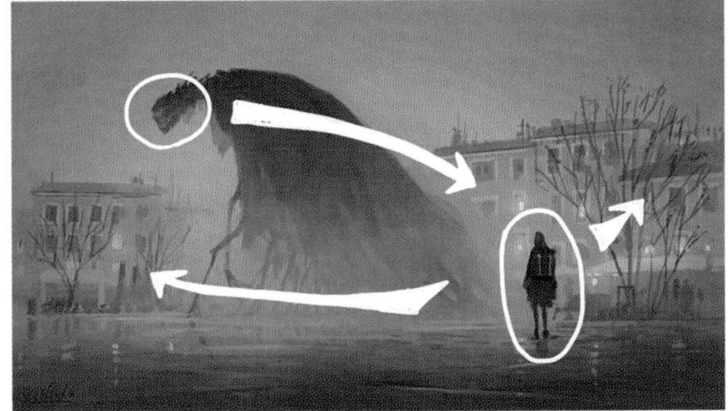

의외성

화면 중앙에 크게 창조물을 그려 주목시키고 인물과 대비시켜 창조물의 크기를 강조합니다. 마지막으로 거리를 희미하게 보임으로써 완전한 다른 세계가 아닌 사실적인 두려움을 자아내고 있습니다.

Illustration Making

새로 그린 일러스트 메이킹

1. 실내

2. 실외(자연물)

3. 실외(인공물)

여기서는 이번에 새로 그린 일러스트 3점을 소재로 실제 일러스트의 제작 과정을 소개합니다. 상황마다 공정 등이 미묘하게 다르기 때문에 각각 참고해 주셨으면 좋겠습니다. 업무적이든 개인 제작이든 구체적인 제작의 공정은 별로 바뀌지 않습니다. 그림에는 정답이라는 것은 없기 때문에 여기에 적혀 있는 것은 그림을 제작하는 방법의 힌트 정도로 생각해 주세요.

3장 모두 밑그림은 종이 위에서 작업했습니다(컬러 러프는 디지털). 사용 도구도 참고로 게재해 두었지만, 자신이 사용하기 쉬운 도구도 상관없습니다. 그림만 그리는 거라면 컴퓨터 스펙도 그렇게 높지 않아도 괜찮습니다. 액정 태블릿이 아닌 펜 태블릿을 사용하고 있는 것은 익숙해져 있기도 하고 세세한 작업에서 펜촉을 확인하기 쉽기 때문입니다.

사용 툴

Photoshop CC
Wacom 프로페셔널 펜 태블릿 Intuos5
OS: Windows 10 Home
CPU: 인텔® Core™ i7-8700
RAM: 16.0GB

1-1 러프

그림을 그리기 전에 어떤 그림을 그리고 싶은지 정하고 러프를 그립니다. 이 그림은 실내의 그림으로, 친밀하고 차분한 분위기를 나타내고 싶다고 생각했습니다. 아파트에 살고 있을 때 북쪽(공용 통로 측) 창에서 비추는 빛을 좋아했기 때문에 그것을 중심에 두고 인물을 가깝게 보이게 하기 위해 망원 느낌의 퍼스가 별로 없는 평면적인 1점 투시의 구도로 러프를 그렸습니다.

어떤 그림이든 가장 중요한 것은 첫인상입니다. 그리기 전에 먼저 어떤 그림을 그리고 싶은지 분위기를 구체적으로 상상하고 그것을 러프로 재현하는 것을 목표로 합니다. 색도 칠하고 전체 명암이 어떻게 되는지까지 확인합니다. 익숙하지 않을 때는 러프를 준비하는 것의 의미를 찾을 수 없었지만 특히, 배경이 있는 그림에서는 여기에서 그림 전체의 구성을 정해 두면 나중의 과정이 편하기 때문에 의식하여 러프를 그리고 있습니다.

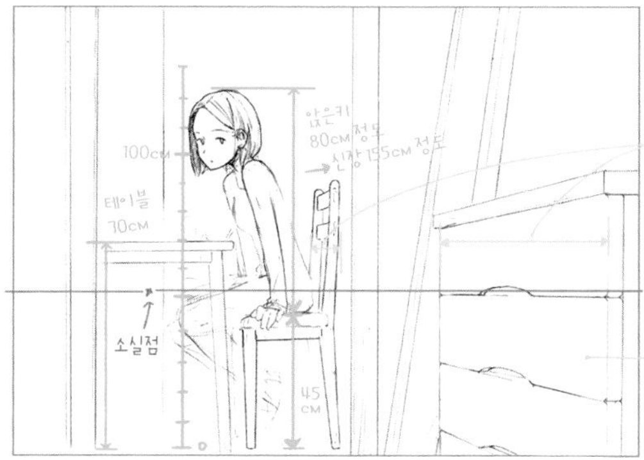

1-2 밑그림

러프를 확인하면서 밑그림을 그립니다. 메인이 되는 모티브의 대략적인 위치를 그리고 그것들이 러프와 같은 느낌이 되도록 소실점의 위치를 결정합니다. 러프 시점에서는 인물에 소실점이 중첩되었지만 표현이 너무 직설적이라고 생각했기 때문에 인물보다 약간 빗나가게 표현했습니다.

다음으로 인물과 의자, 테이블 등의 크기를 맞춥니다. 보통 의자의 왼쪽 면은 바닥에서 45cm 정도이고 테이블의 상판은 70cm 정도이므로 그것을 기준으로 인물과 크기를 맞추도록 그립니다.

앞선 작업이 완료되면 앞이나 안쪽의 풍경도 그려 넣습니다. 안쪽 싱크대의 높이는 85cm 정도, 앞쪽 옷장의 높이는 55cm 정도로 했습니다. 냉장고나 싱크대 등 큰 가구의 실루엣을 먼저 그려 전체적인 균형을 확인하고 서서히 세부를 더 그려나가면 모순이 생기지 않습니다.

1-3 선화 작성, 레이어 나누기

스캔한 데이터를 채색하기 전에 인물의 선화를 청서(베껴 쓰기)합니다. 선화 레이어를 작성하여 가는 브러시로 트레이스해 나갑니다. 배경의 촉감(눈으로 본 느낌)과 맞추기 위해 연필 느낌의 질감을 설정한 브러시로 그렸습니다. 두껍게 채색하므로 실루엣은 옅게, 그림자 부분(목 부분, 주름이 깊은 부분 등)을 짙게 했습니다.

선화가 완성되면 레이어를 나눕니다. 여기서 안쪽의 싱크대 주변, 인물, 식탁, 앞쪽의 4장의 레이어로 나누었습니다. 인공물로 형태가 명확하게 변하는 경우는 이렇게 나누기도 하지만, 모두 한 장의 레이어로 채색할 수도 있습니다.

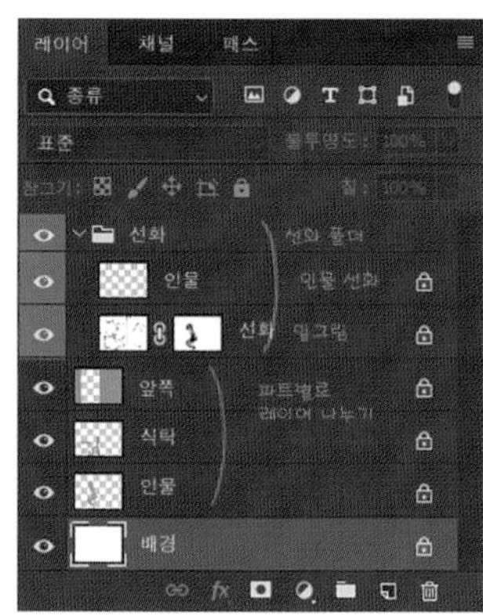

1-4 초벌 채색

레이어를 나누면 일단 그 레이어를 숨기고 「배경」 레이어에 초벌 채색을 합니다. 러프를 보면서 분위기가 같아지도록 대략적으로 채색해갑니다.

파트마다 나누어 채색하면 색상이 제각각이므로 먼저 1장의 레이어에 초벌 채색을 합니다. 이 시점에서는 브러시 자국이 남아도 별로 신경 쓰지 않아도 됩니다. 단, 하이라이트 등 세세한 부분에서 인상에 남을 만한 부분은 이 시점에서 대략 색을 입힙니다.

대략의 색상이 정해지면 채색한 내용을 각 파트별로 레이어에 복사합니다. 구체적으로는 「배경」 레이어를 3회 복사하고 「인물」 「식탁」 「앞」의 각 레이어에 클리핑(레이어 → 클리핑 마스크를 작성)하여 각각 통합합니다.

1-5 착색 / 안쪽의 풍경

다음은 초벌 채색을 한 분위기를 유지하면서 파트마다 마무리를 합니다. 개인적으로 안쪽 풍경부터 채색하는 것을 좋아하지만, 이 순서는 별로 신경 쓰지 않아도 좋습니다. 즐겁게 채색하는 것이 제일 중요합니다.

순서로는 우선, 초벌 채색에서 삐져나왔거나 불필요한 얼룩이 있는 곳을 정돈하고 나서 세세한 명암이나 하이라이트를 그려 넣어 완성합니다. 다듬을 때나 세부를 그릴 때도 초벌 채색에서 정한 대략적인 색상과 명암에서 너무 벗어나지 않도록 합니다. 익숙해지면 이 마무리 단계에서 역산하여 초벌 채색을 할 수 있게 되어 채색할 때 망설이는 부분이 줄어듭니다.

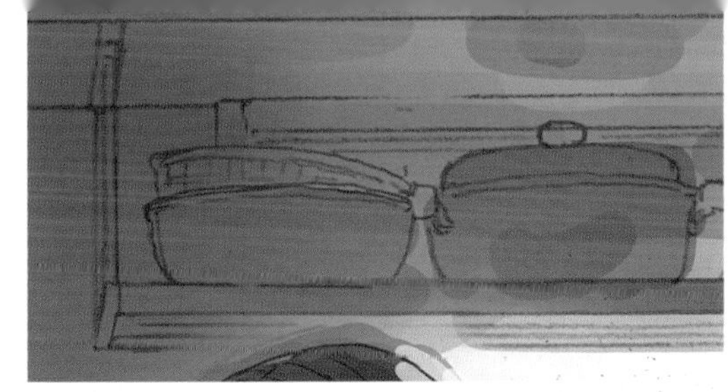

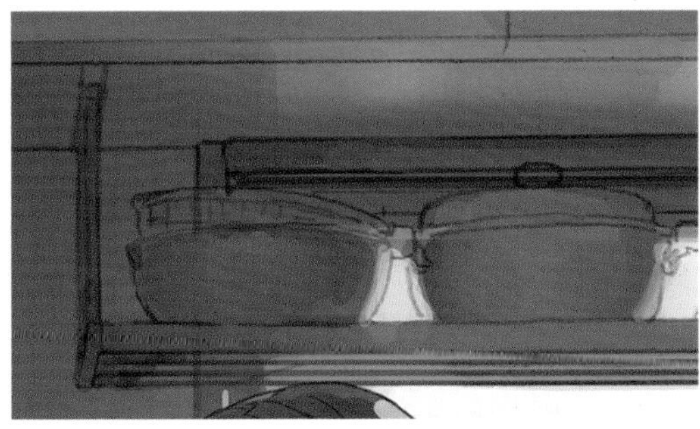

1-6 착색 / 앞의 풍경

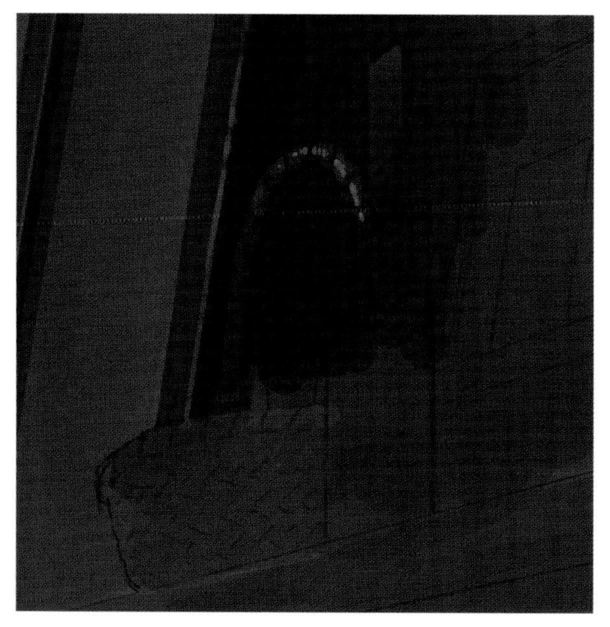

「식탁」「앞」의 레이어도 같은 요령으로 완성해 갑니다. 크게 나누어 채색하고 정돈한 다음 반사광이나 하이라이트로 마무리합니다. 앞의 오브젝트는 세세한 부분까지 그리지만, 이번에는 일부러 세세하게 그리는 것을 제한하여 주역인 인물을 돋보이게 했습니다.

1-7 착색 / 인물

인물의 착색도 거의 같은 느낌입니다. 큰 파트로 나누어 채색하고 얼룩이나 삐져나온 부분을 정돈하여 세부를 그려 넣습니다. 특히 얼굴은 보는 사람의 시선이 집중되는 곳이기 때문에 열심히 그립니다. 그 밖에도 옷의 질감, 역광으로 떠오르는 입체감 등을 신경 써서 그리면 그만큼 보는 사람도 즐길 수 있기 때문에 시간을 들이는 부분입니다.

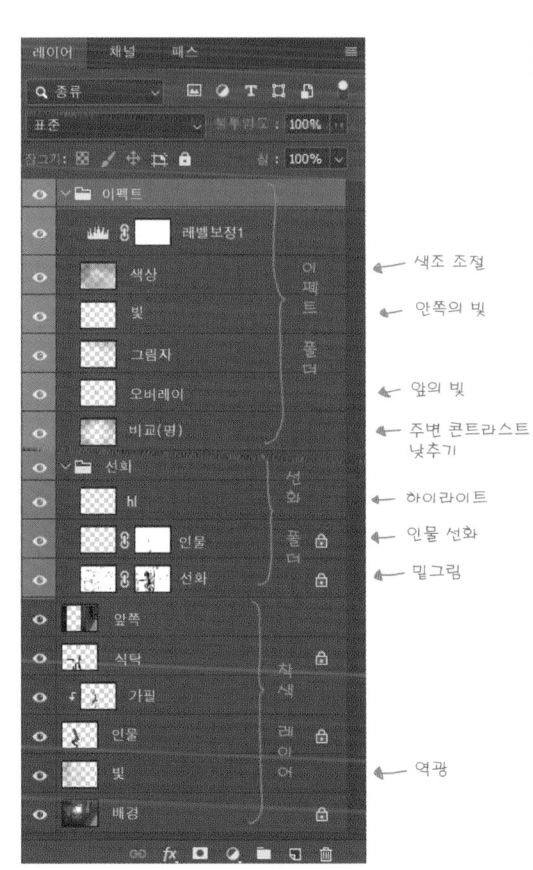

1-8 이펙트

마지막으로 이펙트나 색조 보정을 하고 전체를 확인합니다. 섬네일 크기까지 축소하거나 화면에서 떨어져서 보면서 그림을 처음에 생각한 인상에 가깝게 합니다. 바로 그림을 체크하면 생각보다 위화감을 깨닫기 어렵기 때문에 시간을 두고 확인하는 것도 효과적입니다. 조정과 남은 채색이 있는지 체크가 끝나면 완성입니다.

왼쪽은 최종 레이어 구성입니다. 평소보다 세세하게 파트를 분배하였고 이펙트도 많기 때문에 레이어가 많아졌습니다.

Making of "Derelicts"

2. 실외(자연물)

2-1 러프

앞에서의 모티브가 「실내에서 인공물」이었으므로 대조적으로 「야외에서 자연물」이라는 주제로 그려 보기로 합니다. 그림 분위기도 크게 바꿔서 신비스러운 느낌을 연출합니다. 생각한 결과 초원에 드리워진 그림자, 습원, 흐린 하늘, 안개 낀 대지 등 제가 좋아하는 모티브를 넣어 구성하기로 했습니다.

앞과 같이 컬러 러프를 작성합니다. 초원에 경사를 넣어 구도에 변화를 주면서 인물과 고목의 실루엣으로 초원의 퍼스를 방해함으로써 공간을 돋보이게 하는 구성을 했습니다. 신비로운 분위기를 표현하기 위해 하늘의 색은 어둡게, 안쪽도 희미하게 합니다.

2-2 밑그림

구성이 정해지면 밑그림 작업에 들어갑니다. 러프 구성을 바탕으로 먼저 메인이 되는 모티브의 실루엣을 그려 균형을 잡습니다. 폐허는 기울기를 주어 강조했지만, 퍼스는 위화감이 없으면 좋을 것 같아 굳이 소실점 등은 만들지 않았습니다.

폐허, 고목, 습지, 인물 등 필요한 요소에 대해서는 가지고 있는 자료나 검색한 이미지를 적절히 참고하면서 그리고 싶은 이미지에 맞추어 조정하면서 그려갑니다. 인물의 디자인은 그림 전체의 신비한 분위기에 맞춰 켈트(Celt)족의 디자인을 참고했습니다. 흰색으로 통일함으로써 신비감을 주면서도 자수 등으로 밀도감을 높여 분위기를 낼 생각입니다.

2-3 선화

이번에도 인물의 선화를 먼저 만들었습니다. 연필 텍스처가 들어간 브러시를 사용하였습니다. 인물의 크기가 작은 것에 비해 의장이 세밀하고 실루엣도 복잡하기 때문에 무리하게 전부 트레이스 하지 않고 인상적인 부분만 선화를 준비했습니다. 밑그림 선은 레이어 마스크를 사용하여 부분적으로 옅게 남겼습니다.

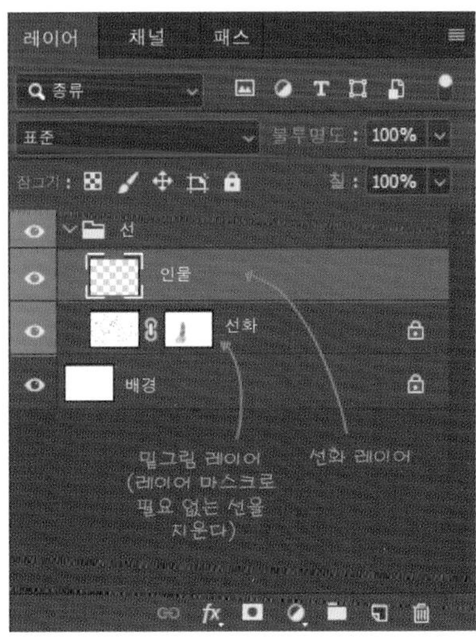

2-4 초벌 채색

러프의 색을 참고하여 배경 레이어에 초벌 채색을 합니다. 초원의 녹색과 하늘에 푸르스름한 잿빛을 나타내고 싶었으므로 상상한 좋은 색이 제대로 나올 때까지 여러 번 조정합니다. 또한 인물이나 고목의 실루엣이 돋보이도록 밝은 부분의 안쪽에는 그림자를, 어두운 부분의 안쪽에는 빛을 넣도록 합니다. 수수한 작업이지만 이것이 굉장히 중요합니다.

대략의 색이 정해지면 인물만 다른 레이어로 나누어 채색하고 배경 레이어를 복사하여 클리핑한 후 통합합니다. 배경과 인물에 조금 더 색을 입혀서 전체 분위기를 미세하게 조정했습니다. 인물의 머리 색, 옷에 드리우는 그림자, 건물 주변의 나무나 초원에 색을 더 추가했습니다.

2-5 착색 / 원경

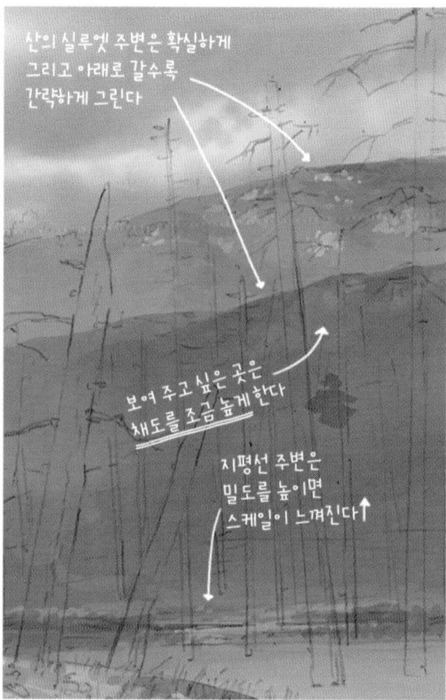

원경부터 완성해 갑니다. 자연 중심의 풍경이므로 공기 원근법을 의식하여 안쪽에 있는 것일수록 희미해지듯이 하고 앞으로 그려 나갈수록 콘트라스트를 높여 가면 자연스러운 마무리가 됩니다. 지상에 가까울수록 공기는 진하기 때문에 산은 능선에 가까워질수록 채도가 높고 세부도 뚜렷하게 그려 넣습니다.

2-6 착색 / 건물 주변

원경에 이어 폐허 주변도 그립니다. 초벌 채색에서 대략적인 색은 채색했기 때문에 나머지는 미세한 얼룩을 넣고 가장자리를 마무리하면 그럴듯하게 마무리됩니다. 창틀이나 판자가 깨진 부분 등 초벌 채색을 하지 않은 부분들도 대략 채색을 하고 가장자리를 다듬어 마무리합니다.

2-7 착색 / 근경

앞에 있는 고목과 초지를 채색합니다. 준주연급 모티브이기 때문에 약간 색감을 추가하면 존재감이 높아집니다. 이 고목처럼 세밀한 표면의 요철이 있는 것은 세부를 일일이 그려넣으면 너무 어려워지기 때문에 명암의 경계선을 중심으로 그리고 그 이외의 부분에는 최소한의 그림을 그립니다. 마지막으로 꼼꼼하게 하이라이트를 넣기 전까지는 그림이 조금 부족하다고 느끼는 정도가 딱 좋습니다.

2-8 착색 / 인물

인물을 완성하겠습니다. 지금까지와 같은 순서로 색의 경계를 정돈하고 미세한 그림자를 넣어 가장자리를 마무리합니다. 인물은 시선이 집중되는 부분이기 때문에 세세한 부분까지 꼼꼼하게 그려냅니다.

채색하는 동안 옷의 비치는 느낌을 표현하고 싶어 과감하게 앞면 중앙을 얇은 소재로 해보았습니다. 페티슬립 느낌이 넘치고 느낌이 좋은 것 같습니다.

마지막에 하이라이트를 넣고 잔머리 등을 추가합니다. 실루엣이 부자연스럽지 않은지 조금 떨어져서 확인합니다.

2-9 이펙트

대략적인 채색을 했기 때문에 색조 등을 조정합니다. 인쇄를 했을 때 하얗게 날리거나 검게 뭉개지지 않도록 주의합니다. 또한 화면상에 밝은 빛을 넣거나 오른쪽 늪지대에 안개를 추가하기도 합니다.

조정하다 보면 무엇이 좋은지 알 수 없게 되므로, 시간을 두고 보거나 스마트폰에 이미지를 전송하여 냉정한 상태에서 체크합니다. 특별하게 신경 쓰이는 부분이 없다면 완성입니다.

A안

원하는 요소를 일단 집어넣어 본 것
도시, 파란 하늘, 강한 색감,
일상 속의 비일상 등 전체적으로
좀 의미 불명...?

B안

「일상과 비일상의 대비」라는
주제로 다시 생각해낸 아이디어
돌을 깐 바닥, 판타지 느낌
도시가 한꺼번에 보이면서 알기 쉽다

3-1 러프

표지용으로 빌딩을 그리고 싶다는 생각이 들어 먼저, 빌딩을 많이 그려 A안의 러프를 작성했습니다. 현재는 그림의 주제를 알기 어렵고 인물도 볼품없기 때문에 잠시 보류하고 여러 가지 생각을 해보았습니다.

그림 평가에서 첫인상은 중요합니다. 첫인상을 좋게 하기 위해서는「알기 쉬움」이 매우 중요합니다. 관심을 가져주지 않으면 아무리 정밀하게 그린 그림이라도 봐주지 않습니다. 그 그림이 무엇을 표현하고 싶은지, 어디가 재미있는지 바로 전달할 수 있는 구성을 먼저 떠올리는 것이 중요합니다.

3개월 정도 고심하여 생각해낸 것이 B안입니다. 주제는「일상과 비일상의 대비」로 과거 그림의 리메이크적인 요소도 있고, 색상도 명쾌하고 빨간색을 모티브로 동화적인 요소도 포함되어 있습니다. 아치형의 문 너머 거리들을 보여 주고 싶어서 어안 퍼스를 사용했더니, 표지 그림으로서의 임팩트도 높아졌습니다.

그림 때 참고한 사진도 추가로 몇 개 게재합니다. 하이델베르크성 외에 독일에서 촬영한 풍경과 도쿄 근교의 상점가를 주요 모티브로 하고 있습니다. 빌딩들은 신주쿠나 시부야를 참고했습니다. 모두 직접 촬영한 것입니다. 이런 취재 경험이 도움이 되기 때문에 평소에도 적극적으로 여기저기 방문하고 있습니다.

3-2 밑그림

밑그림 전에 실제 인쇄 크기의 데이터에 러프를 복사하고 그 위에서 퍼스에 맞추어 가이드를 작성합니다. 표지이므로 트리밍했을 때의 보이는 방법, 제목이나 띠지의 위치 등을 확인하면서 어디에 어떤 요소를 넣을지 체크합니다. 작성한 가이드를 A4 종이에 인쇄하고 밑그림을 시작합니다. 커버의 접는 부분은 거의 자연물이라 이번에는 앞표지와 뒤표지 부분만 종이 위에서 작화하기로 했습니다.

러프 시점에서는 모두 고민이 되는 부분이기 때문에 여기서부터는 거의 흐름 작업입니다. 앞의 2점의 작품과 마찬가지로 큰 모티브의 실루엣을 그려 전체의 균형을 확인하고 세부를 그려 넣습니다. 돌벽은 세밀한 부분이므로 약간 랜덤(random)하게 표현하여 부드러운 느낌을 줍니다. 어떤 것이든 그때마다 자료가 되므로 긴장을 풀지 않고 작화합니다.

밑그림이 완성되면 스캔하여 데이터로 만들고 부족한 부분을 디지털상에서 수정합니다. 거의 자연물로 선화는 필요 없기 때문에 주변을 넣는 정도로 끝냈습니다.

3-3 초벌 채색

러프를 바탕으로 초벌 채색을 합니다. 표지이므로 임팩트를 중시하여 선명한 색으로 표현합니다. 채도가 높아도 그림자의 색이 통일되어 있으면 그림의 통일감을 나타낼 수 있습니다. 처음에는 화면 왼쪽에서 빛을 비추는 이미지였으나 아치형 문에 순광을 비추고 싶어서 빛의 방향을 중간에 변경했습니다.

3-4 인물 선화

인물의 선화를 그리고 인물만 착색 레이어를 나눕니다. 이전과 같이 초벌 채색을 복사하여 인물 레이어에 클리핑하고 통합합니다. 이렇게 하면 초벌 채색에서 작성한 미묘한 색을 그대로 베이스로 할 수 있고 배경과 인물의 색에 통일감을 줄 수 있습니다(기분이 그렇게 느껴지는 것일지도 모르지만).

이 그림을 그리는 작업 과정을 알 수 있도록 어느 정도 수정한 곳에서 레이어를 나누었습니다. 평소 작업에서는 이렇게까지 세세하게 레이어를 나누지는 않습니다. 참고만 해주세요.

3-5 착색 / 원경

원경의 거리를 그립니다. 독일 북부 등의 건물을 참고하여 지붕의 색상에 변화를 주는 등 메르헨 느낌을 강조하여 채색합니다. 밑그림의 단계에서 지붕의 형태에도 변화를 주었습니다. 디테일하게 표현하면 전체적인 스케일이 잘 표현되기 때문에 꼼꼼하게 그립니다.

3-6 착색 / 돌벽

돌벽은 먼저 부드러운 그러데이션으로 전체를 고르게 하고 블록마다 미묘하게 색을 바꾸거나 얼룩을 넣은 다음 마지막에 줄눈과 하이라이트 등의 가장자리를 그려 마무리합니다. 너무 많이 그려 넣어 어려워지지 않도록 가장자리를 그린 시점에서 딱 좋은 정도의 그림을 목표로 합니다. 오른쪽 벽도 마찬가지로 나타냅니다.

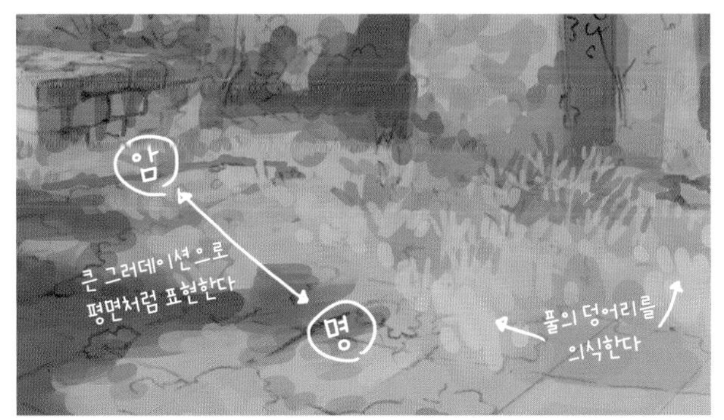

3-7 착색 / 식물

식물은 뚜렷한 형태가 없기 때문에 큰 덩어리를 의식해서 그립니다. 우선 큰 덩어리로 대략적인 형태를 그리고 점차 거기에서 복잡한 형태를 추가해 갑니다. 여기서는 돌층계와 벽 등에 심어져 있기 때문에, 지면에 맞춘 명암 그러데이션을 넣으면 평면다워집니다. 밀도감을 높이기 위해 컬러풀한 꽃 등도 그립니다.

3-8 착색 / 빌딩

이 그림에서 빌딩 표현은 그림자의 주인공이기 때문에 정성스럽게 그립니다. 창만 다른 레이어에서 그리고 변형시키면 완성도가 높아집니다. 색상이 단조로워지지 않도록 간판 등으로 변화를 줍니다.

그림자 안에 들어가 있는 골목은 거의 모노톤이므로 명암만으로 그릴 수 있습니다. 시간은 걸리지만 별로 어렵지 않으므로 여기서는 생략합니다.

3-9 착색 / 근경

그림자로 되어 있는 근경을 채색합니다. 대부분 모노톤이므로 그다지 세밀하게 그리지 않고 여기저기 빛이 닿는 곳이나 명암의 2가지 색을 의식하는 정도입니다. 늑대에 대해서는 다소 색을 추가하거나 주변의 식물을 세세하게 그리고 있습니다.

3-10 착색 / 인물

인물도 지금까지와 마찬가지로 경계를 조정하고 가장자리를 그려 마무리합니다. 표지 중에서도 특히 시선이 집중되는 부분이므로 주름 등도 세심하게 그려 넣습니다. 뭔가 변화를 주어야겠다는 생각에 동화를 생각하여 파랑새를 추가했습니다.

그림의 좋고 싫음은 인물의 외형에 크게 좌우됩니다. 저는 배경의 면적이 넓고 또한, 인물의 인상이 너무 강하지 않은 그림을 좋아하기 때문에 연기나 표정은 소극적으로 표현합니다. 이 「연기나 표정」에 작가의 고집이 느껴지는 그림은 대개 인상이 좋아지므로 그곳에는 반드시 힘을 주도록 합시다.

3-11 착색 / 이펙트

전체적으로 그리기가 끝나면 이펙트를 넣어 조정합니다. 심혈을 기울여 그렸기 때문에 실루엣을 강조하기 위하여 약간의 빛을 넣는 것 이외에는 그다지 큰 이펙트를 넣지 않고 전체의 색조 보정 정도로 끝냈습니다. 표지답게 임팩트 있는 그림을 만들기 위해 채도와 콘트라스트는 아슬아슬하게까지 올렸습니다.

마지막으로 시간을 두고 다시 확인하고 문제가 없으면 완성입니다.

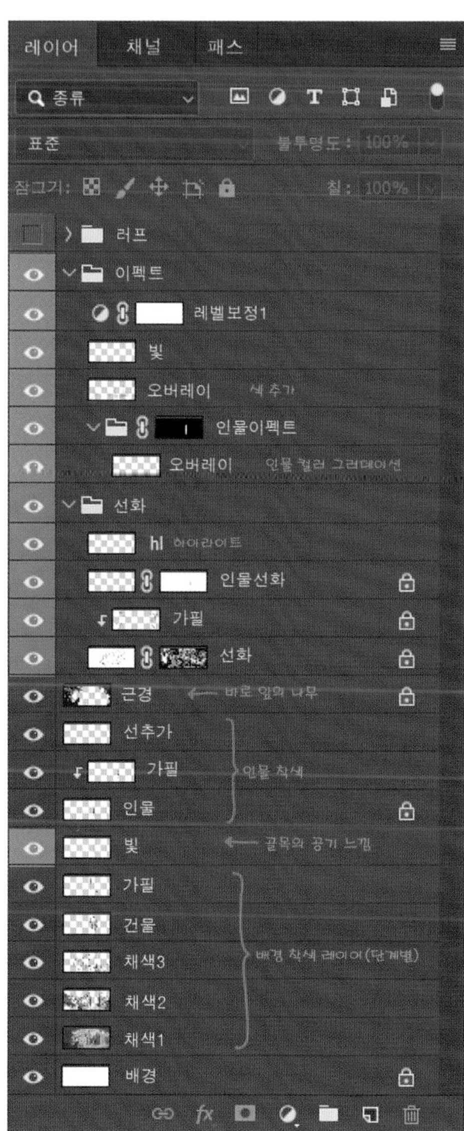

Interview with YOSHIDA Seiji

아틀리에 소개 & 인터뷰

벚나무 가로수를 빠져나온 주택가 한 모퉁이, 「이야기의 집」에 등장할 것 같은 저택의 빛이 비치는 아틀리에에서 요시다 세이지 작가의 작화에 대한 신념과 미의식, 히스토리에 대한 이야기를 들어보았습니다.

작화에 대하여

OS는 Windows이며 작화는 모두 Photoshop에서 합니다. 다만 선화나 러프는 아날로그로 그리고 있습니다. 일을 할 때 그림은 러프에 디지털로 색을 입히고 그것을 한 번 종이로 출력하여 손으로 밑그림을 그린 다음, 그것을 다시 디지털로 채색하는 굉장히 귀찮은 작업을 하고 있습니다. 그림의 전체적인 느낌이 궁금해서 종이 전체를 바라보면서 균형을 잡고 있습니다. 디지털로 작업하면 세세한 부분을 너무 많이 그리게 되어 시간이 낭비됩니다. 그래서 아날로그로 선화의 대략적인 균형과 화면의 밀도감을 정해 줍니다. 그걸 베이스로 하여 채색하므로 화면의 균형이 잘 잡힙니다. 원드로우(one hour drawing의 약칭) 같은 그림일 경우에는 전부 디지털로 작업하지만 완성도를 올리고 싶을 때는 아날로그로 선을 그리고 있습니다.

메이킹에도 선화를 실었는데 희미하게 퍼스 선이 보이는 것 같습니다. 이것은 아날로그로 러프를 그리고 디지털로 가볍게 색을 올린 후 거기에 맞는 퍼스 선을 디지털로 만들어서 선화를 그리고 있습니다. 평소에도 선화는 A4 종이에 그립니다. 지면의 텍스처(texture)도 손으로 그린 것입니다.

러프 단계에서 건물의 균형, 크기, 구도를 결정하고 그것을 보면서 완성 이미지의 크기로 건물의 큰 언저리를 넣은 다음 그것을 세밀하게 그려갑니다. 따라서 중요한 건 첫 번째 러프입니다. 러프가 완성되면 거기서부터는 흐름 작업입니다.

—— 러프의 구도는 어떻게 결정했나요?

감각으로 정하고 있습니다. 여기에 밀도가 높은 것을 두었으니까 저쪽은 밀도를 낮춘다거나, 보여 주고 싶은 것 사이에는 그다지 물건을 두지 않습니다. 그 시점에서 이미지는 정해져 있기 때문에 러프를 그리면서 균형을 조정하고 있습니다. 하고 싶은 접근법에 따라 보는 방법이 달라집니다. 그것은 제가 배경으로만 2,000장 넘게 그려온 그동안의 경험을 통해 터득한 법칙입니다. 예를 들어 캐릭터를 그리고 그 위에 구도가 정해진 배경을 퍼스가 맞도록 넣는 일이 있습니다. 그것을 얼마나 빠르고 효과적으로, 좋은 느낌의 그림으로 그려 내야 하는지 꾸준히 지속한 결과입니다.

—— 빛과 그림자를 드라마틱하게 연출하는 요령은?

콘트라스트를 올려볼 만한 장면을 만듭니다. 즉, 보여 주고 싶은 부분을 그려 넣습니다. 반대로 말하면, 보여 주고 싶은 장면 이외를 눈에 띄지 않게 하는 것이 중요합니다. 볼거리와 볼거리 사이는 밀도를 낮게 하거나 과감히 그림자를 드리우고, 어둡게 하고 콘트라스트를 낮춰 눈이 가지 않게 하며 그만큼 메인 부분에 빛을 주어 시선을 잘 컨트롤합니다.

많은 사람이 그림을 전체로 파악하지는 못합니다. 채색을 다 하고 나서 처음으로 전체를 봅니다. 저는 가능한 한 채색하고 있을 때부터 전체를 표시해 두고 눈이 많이 가지 않는 서브 부분은 의식적으로 너무 그려 넣지 않도록 생각하면서 채색하고 있습니다. 항상 메인보다 눈에 띄지 않게 채색합니다. 그것이 익숙해지면 메인을 채색하기 전에 적절히 서브를 정하여 쓱싹하고 채색할 수 있습니다. 메인을 1회 완성하고 나서 서브 부분이 허전하다고 느껴질 때 조금 추가해주면 시선 유도가 잘 됩니다.

—— 그림자 색상에 대해

빛과 그림자 색상의 이미지는 영화 장면에서 참고합니다. 어떠한 영화 한 컷의 근처 색상을 참고하고 싶다면 거기에서 빛과 그림자 색상을 가져와서 채색하고 있습니다. 좋다고 생각한 영상들은 스크린샷으로 찍어서 HDD에 보관하고 있습니다. 영화감독 이마무라 쇼헤이의 영화 한 부근의 색상을 참고하고 싶다든가 영화 이외에도 뮤직비디오나 광고, 자신이 여행하면서 찍은 사진들에서도 참고할 수 있습니다. 저는 독일의 성과 거리를 좋아해서 사진도 많이 찍어 두었습니다. 그림을 그릴 때는 그것들을 뒤죽박죽으로 콜라주를 해서 만들고 있습니다.

—— 표지 그림에 대해

이 그림은 「아름다운 정경 일러스트레이션」의 표지 그림을 거꾸로 본 버전입니다. 가공 세계에서 현실 세계를 보는 각도, 현실과 비현실, 이것이 저의 메인 테마이기도 하기 때문에 뒤표지에 환상적인 거리가 들어갈 수 있도록 구도는 광각으로 하고 있습니다. 책 표지 디자인으로 그림의 구성이 만들어져 있습니다.

하루에 대하여

— 하루에 몇 시간 작업을 합니까?

평균 6시간 정도입니다. 오프(off)에서는 SNS나 영상을 보고 궁금했던 것들을 메모하곤 합니다. 그리고 또 게임의 기술적인 이야기를 체크하기도 합니다.

— 그림을 그릴 때 참고로 하는 것은?

게임의 그래픽 이야기나 영화의 메이킹은 꽤 참고가 됩니다. 최근에는 영화나 게임의 차별점이 줄어들고 있습니다. 예를 들어 「만달로리안」은 거대한 액정 디스플레이를 펼치면서 촬영했다고 합니다. 우주선 선착장(dock)도 전부 CG이며 카메라와 배경이 연동되어 있어 퍼스도 고쳐 준다고 합니다. 게임의 3D 엔진 기술을 그대로 사용한 기법입니다. 최신 영상을 만드는 방법에 관심이 있으면 이것을 보고 "지금의 조명은 이렇게 하고 있구나."라는 등 의외의 곳에서 도움을 받기도 합니다.

그 외에 익스트림 스포츠를 봅니다. 저는 어렸을 때부터 스키를 타고 SAJ2급을 가지고 있습니다. 스키로 산 정상에서부터 활주하거나 스케이트보드로 위험한 언덕길을 미끄러지거나 하는 것, 또한 관련 드론 영상도 재미있습니다. 세계유산 기구나 영상 계통의 사람들만 아는 좋은 풍경에서 찍었기 때문에 이를 사용하고 있습니다.

GoPro의 YouTube 채널도 봅니다. 보통은 절대 가지 않을 것 같은 유럽 벽지와 흡사한 풍경을 굉장히 멋있게 찍는다거나 잠수부들만 아는 좋은 곳에서 물고기 떼를 찍는다거나, 석양을 굉장히 예쁘게 찍는 모습을 얼마든지 볼 수 있기 때문입니다. 좋은 구도나 색상 등을 다 흡수해서 그림에 살리고 있습니다.

— 1일 타임 스케줄을 알려 주세요.

이전에 준비한 것이 있습니다(다음 페이지). 아이가 학교에 다니면 아무래도 규칙적인 생활이 됩니다. 일은 일부러 그림을 완성하지 못한 상태에서 끝내려고 합니다. 아침에 아틀리에에 오면 그림을 그리다 만 상태로 방치해 두었기 때문에 가장 먼저 '아 여기를 그리고 싶다!'라는 마음이 듭니다.

— 작품을 위해 건강에 신경을 쓰시나요?

스트레칭과 플랭크를 하고 있습니다. 어른이 되면 내전근이 쇠약해지지만 플랭크를 하면 단련됩니다. 아침에 일어나는 것도 힘들지 않습니다. 제가 30살이 조금 넘었을 때 슬럼프가 와서 그림을 그릴 수 없게 되었던 적이 있습니다. 체력이 떨어져 그림을 그릴 수 없게 되었을 때, 일러스트레이터 사이토 나오키가 말했던 것처럼 근육 트레이닝을 했더니 그림을 그릴 수 있게 되었습니다. 딱 30세 정도부터 세세한 배경을 그리는 게 힘들어졌습니다. 옛날 같으면 3일 정도면 그릴 수 있었던 그림을 1주일 걸려도 그릴 수 없게 되었습니다. 고통스러움을 느끼며 한동안은 겨우겨우 그렸는데, 어느 날 '등에 근육이 전혀 없어! 자세를 교정하고 근육 트레이닝을 하는 편이 좋다.'라고 스키 동료가 조언했습니다. 그래서 스트레칭과 플랭크를 하기 시작했더니 그림이 그려졌습니다. 의욕이 생겨서 원드로우를 해보니 마침 타이밍도 좋았는지 단번에 여러 사람들에게 공유되어 팔로워도 늘었습니다. 베테랑 일러스트레이터들도 "용케도 이 작업 시간 내에 그렸네!"라고 합니다. 저는 "기초 대사를 올리면 할 수 있다."라고 대답했습니다.

요리도 굉장히 기분 전환이 됩니다. 장도 보고 식사 준비도 제가 합니다. 기합이 들어간 그림을 그리고 있으면 '좋아, 오늘도 맛있는 것을 먹자!'라고 생각하게 됩니다.

(오른쪽 위) 디지털로 그린 러프에 연필로 밑그림 그리기. (오른쪽 아래) 벽 한 면의 책장은 볼박이. 모로호시 다이지로, 야마모토 나오키, 러브크래프트, 오오토모 카츠히로부터 BL, 종교에 관한 책까지 요시다 세이지를 형성해온 모든 장르의 책들이 진열되어 있다. (왼쪽 위) 취미는 영화. 마음에 드는 것은 장 피에르 주네 작품. 「Directors Label」 시리즈도 좋아한다. (왼쪽 아래) 「진 · 여신 환생」 팬클럽 특전의 트럼프와 자작의 그림책. 그림책은 20여 년 전의 코믹마켓이나 코미티아에서 배포한 것.

요시다 세이지 히스토리

고등학교 때부터 그래픽 디자이너로 동인 게임 동아리에 참가했습니다. 만들던 건 액션 RPG입니다. 당시는 '이스(Ys)', '브랜디쉬(Brandish)' 등이 유행하고 있어서 필요한 소재를 도트 그림으로 만들었을 뿐이었지만, 사람들에게 부탁을 받고 그림을 그리는 것이 즐거웠습니다. 저는 「진·여신 환생」을 좋아해서 팬클럽에도 가입했습니다. 당시 시리즈의 캐릭터 디자인을 맡은 사람이 일러스트레이터 및 그래픽 디자이너였던 카네코 카즈마입니다. 이분의 영향으로 그림의 길을 가기 시작했습니다. 저는 팬클럽 통신에 일러스트를 그린 엽서를 보내고 있었습니다. 거기서 가끔 카네코로부터 코멘트가 붙었는데 그것이 계기가 되었습니다.

—— 진학교에서 미대로

고등학교 2학년 1월에 갑자기 미대를 목표로 하고 싶다고 말했습니다. 주위 사람들은 의아해했고 부모님 또한 "그만둬라. 단, 꼭 하겠다면 돈은 주겠다."라고 말씀하셨습니다.

학과는 디자인과, 합격한 미대가 인쇄에 강해서 Mac을 자유롭게 만질 수 있었습니다. 거기서 Photoshop을 배우고 당시 아직 거의 갖추어지지 않은 DTP 환경을 알게 되었는데, 인쇄에 빠져서 그림책을 많이 만들었습니다.

배경을 그리기 시작한 것도 만화를 그리고 있었기 때문으로, 「AKIRA」의 영향을 많이 받았습니다. 「AKIRA」는 처음부터 17페이지까지 캐릭터의 얼굴이 나오지 않고 배경만으로 이야기가 진행됩니다. 그래서 저도 서두에 10페이지 이상 배경이 이어지는 만화를 그리고 있었습니다. 또한 BL 만화도 그리고 있었습니다. 코미티아에서 그림책을 팔다 보니 많은 여성 작가들을 알게 되었고 다 같이 BL 합동지를 만들 때 저도 불러 주었습니다. 그때의 코미티아는 지금 제일선에서 하고 있는 분이 아직 아마추어로 참가하고 있던 시대였습니다.

—— 게임의 세계로

대학 때 동인 게임 동아리 멤버인 형이 미소녀 게임 회사를 설립해서 팀별로 참가하게 되었습니다. 당시엔 TYPE-MOON의 동인 데뷔작인 츠키히메가 나오거나 젊은 크리에이터들이 미소녀 게임에 집중했었습니다. 그 속에서 새로운 인간관계가 생겨나고, 저에게 배경을 잘 그린다며 배경을 그려 달라는 말을 여러 회사로부터 들었습니다.

대학시절에는 홈페이지도 만들었고 축제 시즌이나 여행 외에는 매일 그림을 갱신하고 있었습니다. 1999년 당시에 매일 업데이트를 하던 사람은 별로 없었습니다. 미소녀 게임 일도 하고 있었기 때문에 일하러 가는 날은 점심시간에 밑그림을 그리고 17시 이후에는 회사 컴퓨터를 마음대로 사용할 수 있어 19시 정도에 업로드하고 IRC에서 채팅을 했습니다. 인터넷 여명기였지요.

대학교 3학년 때 그래픽 전반을 담당한 게임이 하나 나왔고 졸업 작품 제작과 동시 진행으로 하나가 더 나왔습니다. 졸업 후, 3년 만에 독립하고 나서는 계속 프리랜서로 일했습니다. 당시 동인 게임 동아리의 동료들과 성인 게임을 만들어 다운로드 판매도 했습니다. 일본에서 다운로드 판매 원년인 그해에 독립하고 나서는 그쪽 수입 반, 배경 수입 반으로 돌리면서 10년 넘게 계속 배경 그래픽 디자이너로 활동하고 있었습니다. 미소녀 게임 업계에서 일을 해내면서 업계에서는 지명도가 올라갔지만, 그만큼 일러스트레이터의 활동은 전혀 할 수 없었습니다. 10년이 조금 지나 결혼해서 아이가 태어나고, 나 혼자 살아간다면 연수입 300만 정도라도 괜찮지만 이대로는 곤란하다는 생각에 일러스트레이터로서도 지명도를 높여 가고 싶어서 정보를 사람들에게 알리게 되었습니다.

—— 일러스트레이터로서의 활동에 대해서

사실 이 집을 지었을 때는 아직 Twitter의 팔로워가 400명 정도였습니다. 부모님이 이사하고 땅이 비어서 조금 무리해서 지었습니다. 그래서 '팔리지 않으면 곤란하다.'고 생각하며 업로드해 봤더니, 원드로우가 굉장한 인기를 얻었습니다. 이건 인기를 얻을 수 있을 거라고 생각했습니다. 개인 제작은 결국, 알려지지 않으면 사람들에게 닿지 않습니다. SNS에서 무료로 공개하여 홍보를 하면 좋아하는 사람들이 조금씩 모여들어 화제가 됩니다.

—— 향후 전망은?

학창시절에는 그림을 직업으로 삼을 수 있다고 생각하지 않았기 때문에 20년을 계속해올 수 있었던 것은 운이 좋았다고 생각합니다. 지금까지는 어쨌든 즐겁게 일할 수 있었으므로, 앞으로도 일이 들어오는 한 계속하고 싶습니다.

그리고는 게임을 만들고 싶습니다. 제목은 「좀비의 여름 방학」으로 좀비들이 있는 여름 방학 체험 게임입니다. 새총과 폭죽으로 깜짝 놀라게 하는 사이 좀비에게서 아이템을 빼앗기도 하고 생전의 기억이 남아 있는 좀비가 농사일을 하면 그 뒤를 소리 없이 살금살금 통과하기도 합니다. 설정으로는 시골에 내려오면 모두 좀비가 되어 있지만 간혹 생존자도 있습니다. 시간은 좀 걸릴 것 같은데 조금씩 만들고 싶습니다.

(위) 평균적인 타임 스케줄. 사실 「술 엄청 좋아함」 하지만 주말에만 마십니다. (아래) 「좀비의 여름 방학」 기획 이미지 보드.

Description

작품 해설

제목
게재 페이지 / 작품 내용 / 제작 연도 / 사용 소프트웨어, 그림 재료
작가 본인 코멘트

Antique
4p / 오리지널 작품 / 2010년 / Photoshop, 0.5mm 샤프펜슬
앤티크(Antique) 디자인을 좋아하기 때문에 그것들을 빅토리아 양식의 모자 같은 디자인으로 채워 본 일러스트입니다. 트레이를 모자챙에 대어 보기도 하고 축음기를 꽃처럼 보이게도 하며 표현해 보았습니다.

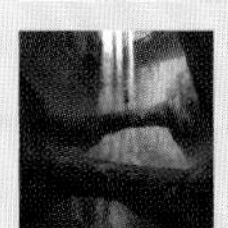

Waterhole
5p / 오리지널 작품 / 2016년 / Photoshop, 0.5mm 샤프펜슬
자연물 임의의 실루엣을 굳이 직선적인 구성으로 하여 공간을 느끼게 하고자 한 일러스트입니다. 폭포의 물보라가 서서히 주위에 퍼져가는 느낌을 어떻게 표현할 것인지 이 부분에서 특히 시행착오를 거쳤습니다.

Fairytale 6–7p / 새로운 작품 / 2020년 / Photoshop, 0.5mm 샤프펜슬
제가 가장 좋아하는 '일상과 비일상'을 주제로 한 일러스트입니다. 이 화집의 표지로 사용하기로 처음부터 결정했기 때문에 밀도감을 표현하기 위해 도쿄 같은 빌딩가를 메인으로 그리고 주변에 유럽의 유적지 같은 풍경을 그려 대비시켰습니다. 인물에게 붉은 옷을 입힌 것도 표지로써의 임팩트(impact)를 노린 것입니다.

Dining
8–9p / 새로운 작품 / 2020년 / Photoshop, 0.5mm 샤프펜슬
새로 그린 일러스트 3장은 각각 메이킹으로 무엇을 해설할지를 먼저 결정하고 거기에 맞추어 그렸습니다. 이 그림은 「일상」을 그림으로 재미있게 그리기 위해 망원으로 퍼스를 많이 강조하지 않고, 그려져 있는 모티브 하나하나에 시선이 향하는 것 등을 의식했습니다.

Derelicts
10–11p / 새로운 작품 / 2020년 / Photoshop, 0.5mm 샤프펜슬
이 그림의 주제는 일상의 반대인 「비일상」입니다. 신비스러운 공간이 되도록 명암을 명확하게 나누고 원경에서 근경까지 공간을 연속으로 그렸으며, 그리는 모티브도 유기된 건물이나 신비스러운 복장의 인물 등 비일상적인 것을 선택했습니다.

계단 문고
12–13p / 오리지널 작품 / 2019년 / Photoshop, 0.5mm 샤프펜슬
건물의 방향이 제각각인 구성은 그리는 것이 힘들지만, 그림의 밀도감은 높아지기 때문에 가끔 도전하고 싶어집니다. 이 그림에서는 조금 옛날의 일본식 건물과 뒤얽힌 계단을 조합하여 신기한 공간에 있는 고서점의 분위기를 연출해 보았습니다.

계단당 서점
14–15p / 오리지널 작품 / 2019년 / Photoshop, 0.5mm 샤프펜슬
직전에 그린 「계단 문고」의 세계관을 베이스로, 「이야기의 집」 시리즈를 위해 새롭게 다시 그린 일러스트와 설정화입니다. 경사면에 서 있는 관계로 서점 내부에도 계단을 마련해 보았습니다. 전에 그린 그림과 비교해 보세요.

鵺(전설의 괴물)
16–17p / 오리지널 작품 / 2018년 / Photoshop, 0.5mm 샤프펜슬
창조물도 좋아하는 모티브 중 하나이며 특히, 가공의 창조물 설정을 생각하는 것을 좋아합니다. 이는 일본 예로부터 전승된 '누에(鵺)'를 오리지널 설정으로 다시 디자인한 것인데, 너구리같은 크기로 만들어 귀여운 인상을 주었습니다.

재방문 18–19p / 오리지널 작품 / 2017년 / Photoshop, 0.5mm 샤프펜슬
과거의 일러스트를 다시 수록한 동인지의 표지용으로 그린 일러스트입니다. 「재방문」이라는 주제로 프랑크푸르트 중앙역을 모티브로 하였습니다. 프랑크푸르트는 한 번 방문한 적이 있고, 매력적인 거리와 미술관에 매료되었기 때문에 언젠가 다시 방문하고 싶다고 늘 생각하고 있습니다.

터널 20p / 오리지널 작품 / 2018년 / Photoshop, 0.5mm 샤프펜슬
지금은 사용하지 않는 터널이라는 것은 매력을 느끼는 모티브입니다. 이전에는 어떤 목적으로 사용되고 있었는지, 왜 사용하지 않게 되었는지 등을 상상하는 것만으로도 두근두근합니다. 자연에 파묻히듯 조용하게 존재하고 있는 점도 끌리는 요인으로, 그러한 요소를 채워 보았습니다.

경내
21p / 오리지널 작품 / 2016년 / Photoshop, 0.5mm 샤프펜슬
근처의 신사를 모티브로 그렸습니다. 가장 고심한 부분은 계단의 입체감과 나뭇잎 사이로 비치는 햇빛을 어떻게 표현할 지입니다. 안쪽에 본전이 있는 것처럼 보이겠지만 실제로는 앞의 낮은 쪽이 본전이 됩니다.

산책길
22p / 오리지널 작품 / 2016년 / Photoshop, 0.5mm 샤프펜슬
여름 햇살, 오래된 집들, 고양이라는 알기 쉬운 모티브를 조합한 것뿐인 일러스트이지만 이 울타리로 구분된 분위기는 근래에는 별로 볼 수 없게 된 풍경이라 그리면서 그리운 기분이 들었습니다. 도랑과 포장 등도 낡음을 의식해서 그렸습니다.

세출(洗出)
23p / 오리지널 작품 / 2016년 / Photoshop, 0.5mm 샤프펜슬
이 현관의 바닥면과 같이 작은 돌이 반만 묻힌 것 같은 가공을 '세출'이라고 합니다. 예전에는 세출을 이용한 집을 많이 보았지만, 최근에는 많이 드물어졌습니다. 현관의 어두움과 밖의 눈부심도 조금 오래된 민가에서 자주 볼 수 있는 풍경입니다.

자오선
24–25p / 오리지널 작품 / 2016년 / Photoshop, 0.5mm 샤프펜슬
일본의 여름, 마을 가까이에 있는 산 그 자체라는 풍경을 목표로 그려 본 일러스트입니다. 비포장의 버스길처럼 생긴 도로가 있는데도 안쪽에는 고속도로가 보이도록 표현했습니다. 어린 시절에 매년 방문했던 아버지의 본가 부근을 이미지로 하고 있습니다.

Framing
26–27p / 오리지널 작품 / 2018년 / Photoshop, 0.5mm 샤프펜슬
퍼스가 조금 있는 창틀과 그 너머 풍경의 퍼스 대비가 재미있게 표현되지 않을까 하여 그린 일러스트입니다. 부족한 점은 많지만 구도는 재미있기 때문에 또 도전하고 싶은 모티브입니다.

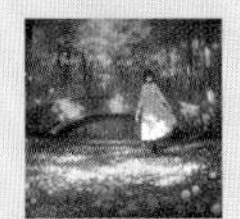

Yellow river 28–29p / 오리지널 작품 / 2016년 / Photoshop, 0.5mm 샤프펜슬
처음에 전체 이미지를 명확하게 상상할 수 있는 그림일수록 완성도 잘될 것 같은 기분이 드는데, 이 그림이 처음부터 모든 구성을 세세한 부분까지 상상할 수 있었던 그림 중 하나입니다. 어떤 장소인지는 전혀 알 수 없지만 그림으로서의 임팩트는 매우 강하게 마무리되었습니다.

폐차체
30–31p / 오리지널 작품 / 2016년 / Photoshop, 0.5mm 샤프펜슬
그저 오래된 전동차의 차량을 그리고 싶었던 일러스트입니다. 천장이나 좌석 부분의 경년열화를 표현하는 것에 힘이 들어가 있어 볼만한 가치가 있습니다. 조명에 대해서도 여러 가지 시행착오를 겪던 시기로, 창틀 그림자의 표현 방법 등에 고생한 흔적이 보입니다.

Trailer
32–33p / 오리지널 작품 / 2010년 / Photoshop, 0.5mm 샤프펜슬
지평선까지 끝없이 평탄한 대지가 펼쳐지는 풍경은 여러 번 그리고 있는 가장 좋아하는 모티브입니다. 전체적으로 아직 인쇄 크기의 그림을 높은 밀도로 그리는 데 익숙하지 않을 때의 일러스트인데, 하늘의 색감과 전체 구성은 마음에 듭니다.

Doghouse
34–35p / 오리지널 작품 / 2017년 / Photoshop, 0.5mm 샤프펜슬
왠지 모르게 어수선한 분위기를 좋아해서 그냥 방을 어지럽히는 것을 목적으로 그려 보았습니다. 영국 영화 등에서 나오는 좁은 데다가 지저분한 실내를 좋아해서 그와 비슷한 이미지를 하고 있습니다. 막상 살려면 힘들 것 같죠?

Shades
36–37p / 오리지널 작품 / 2017년 / Photoshop, 0.5mm 샤프펜슬
동유럽풍의 거리를 그다지 깨끗하지 않고 높낮이의 차이를 두어 너저분하게 그린 콘셉트의 그림입니다. 크기가 큰 그림으로 3점 투시도법인데 모든 소실점이 보이지 않는, 밸런스를 잡는 것이 쉽지 않은 구도가 되어 버려 그리는 데 고생했습니다.

Bookstore
38–39p / 오리지널 작품 / 2015년 / Photoshop
러프부터 모든 과정을 공개하려는 생각으로 드물게 모든 공정을 디지털로 진행해본 일러스트입니다. 배경을 선화부터 디지털로 그리면 밀도의 밸런스를 파악하기 어려워지는 것을 깨닫게 되어 이 이후에 선화는 기본적으로 아날로그로 그리게 되었습니다.

Dormitory
40p 상 / 오리지널 작품 / 2018년 / Photoshop, 0.5mm 샤프펜슬
기숙학교의 교복이 좋다는 것을 표현하기 위해 그린 일러스트입니다. 배경도 영국 풍을 이미지하여 자료를 이것저것 맞추었습니다. 초벌 채색 단계에서 인물에 비추는 빛을 과감히 강하게 했더니 분위기가 좋아져서 그것을 살릴 수 있도록 마무리했습니다.

raccourci
40p 하 / 오리지널 작품 / 2011년 / Photoshop, 0.5mm 샤프펜슬
창은 좋아하는 모티브 중 하나입니다. 실내에서의 풍경을 그리려면 실외와의 빛의 밸런스를 어떻게 할까 고민이 됩니다. 이 일러스트에서는 처음부터 실외를 하얗게 날리고 자연스러운 명암의 차이를 표현하는 방법을 시험해 보았습니다.

Location
41p / 오리지널 작품 / 2017년 / Photoshop, 0.5mm 샤프펜슬
이탈리아를 여행했을 때 건물 디자인뿐만 아니라 하늘의 색과 햇빛의 감촉까지 일본과 달라서 놀랐습니다. 그때 봤던 분위기를 떠올리면서 그린 일러스트입니다. 건물의 디자인은 이 또한 감동한 베네치아의 건물을 참고했습니다.

도쿄 소년 좋은 날 42~43p / 오리지널 작품 / 2019년 / Photoshop, 0.5mm 샤프펜슬
게이오 전철 이노카시라 선의 신센 역 건널목 주변을 그린 일러스트입니다. 이노카시라 선은 이전에 주변에 살고 있어서 자주 이용하고 있었지만, 이 건널목과 터널이 인상적이어서 도쿄를 그린다면 이곳은 빼놓을 수 없다고 생각했습니다. 참고로 사진 트레이스는 아닙니다.

골목을 빠져나와
44p / 오리지널 작품 / 2018년 / Photoshop, 0.5mm 샤프펜슬
2000년에 홍콩을 방문했을 때 어수선하고 볼거리가 많은 골목 풍경에 감동하여 그 이후 줄곧 그런 풍경을 그려 왔습니다. 복잡하게 증축된 건물이나 종횡무진으로 연결된 배관 등으로 상당히 자유롭게 구도를 만들 수 있는 것도 매력입니다.

구룡성채 통로 45p / 오리지널 작품 / 2016년 / Photoshop, 0.5mm 샤프펜슬
홍콩 하면 구룡성채를 빼놓을 수 없습니다. 이 그림 역시 그 분위기를 형상화한 것입니다. 「골목을 빠져나와」 하고 같은 인물일 거라고 생각할 수 있는데 별로 닮지 않았습니다. 이 그림을 그릴 당시에는 밀도감을 높이는 방법을 고민하고 있었는데, 이 그림에서 상당히 공을 들여 그려서 밀도를 높일 수 있는 방법을 조금 알 수 있었던 것 같습니다.

저승사자
46~47p / 오리지널 작품 / 2019년 / Photoshop, 0.5mm 샤프펜슬
「저승사자」를 그려 볼까 하다가 생각난 「야생 동물로서의 저승사자」라는 발상 그대로 그려 본 그림입니다. 가공 생물이라는 설정이 마음에 듭니다. 요즘 일 때문에 자주 방문하는 교토의 풍경을 참고했습니다.

Straight
48p / 오리지널 작품 / 2018년 / Photoshop, 0.5mm 샤프펜슬
그리는 모티브 때문에 고민하게 되면 일단 골목길을 그립니다. 이것도 홍콩의 골목길이 베이스인데, 화면을 기울이는 등 조금 불안정한 구도로 만들어 걸으면서 찍은 사진처럼 마무리했습니다.

Backyard
49p 상 / 오리지널 작품 / 2013년 / Photoshop, 0.5mm 샤프펜슬
비네트(vignette) 풍이라고 할까요, 이런 잘린 배경이 포함된 일러스트도 좋아하는 마무리 방법 중 하나입니다. 깊게 생각하지 않고 원하는 요소만 담아서 마무리했습니다. 이것은 어딘가 유럽의 정원이 있는 집의 담장을 상상하여 그렸습니다.

Submarine
49p 하 / 오리지널 작품 / 2010년 / Photoshop,0.5mm 샤프펜슬
잠수복의 무거워 보이는 금속과 탁한 천의 조합 같은 독특한 디자인을 매우 좋아합니다. 어렸을 때 읽었던 SF 소설의 영향도 있는 것 같습니다. 철과 그에 붙은 녹 같은 것도 좋아해서 그런 요소를 늘어놓아 보았습니다.

Salamander 50~51p / 오리지널 작품 / 2018년 / Photoshop, 0.5mm 샤프펜슬
양서류는 인간 외의 것 중에서도 가장 좋아하는 장르입니다. 아버지 본가 근처의 강에 살고 있었다고 하는 도롱뇽을 이미지화하여 그렸더니 이렇게 되었습니다. 건물 자체도 아버지의 본가가 베이스이며 특히, 이 안쪽에 집의 뒷면이 보이는 일본 가옥다운 구조를 재현하고 싶어서 그렸습니다.

고성 순례
52~53p / 오리지널 작품 / 2017년 / Photoshop, 0.5mm 샤프펜슬
파충류 중에서는 거북이를 가장 좋아합니다. 그 거북이의 등에 성이 올라가 있으면 좋겠다는 발상으로 구성한 일러스트로, 색감이나 전체의 스케일감은 게임 「완다와 거상」 등의 분위기를 참고로 하였습니다.

안개 저편의 무언가
54~55p / 오리지널 작품 / 2019년 / Photoshop, 0.5mm 샤프펜슬
이런 실루엣의 거대한 영물은 2003년에 사진 리터치로 그린 것이 처음이고 그 이후 몇 번인가 반복해서 그리고 있습니다. 이번에는 조금 괴기 풍으로 일본 사토야마의 풍경과 함께 안개의 저편에서 나오는 기분 나쁜 느낌으로 표현해 보았습니다.

Samhain
56p / 오리지널 작품 / 2018년 / Photoshop, 0.5mm 샤프펜슬
켈트의 신년 축제인 「사윈 축제」를 모티브로 조금 자유롭게 변형한 일러스트입니다. 짐승의 뼈나 농산물, 화톳불 등 자신이 잘 알지 못하는 풍습에 대해 알아보면 그동안 못했던 발상을 할 수 있으므로 적극적으로 접하고 있습니다.

Pilgrim
57p / 오리지널 작품 / 2018년 / Photoshop, 0.5mm 샤프펜슬
쿠마노 옛길 등이 요즘 인기가 있어 그러한 풍경을 베이스로 그려 보았습니다. 영적인 것을 중시하는 지방에서는 지금도 무엇인가 인지를 초월한 것이 지극히 평범하게 일상생활을 하고 있는 것 같아서 그러한 분위기를 매우 좋아합니다.

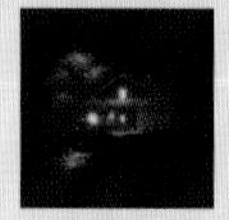

어둠지기
58p / 오리지널 작품 / 2016년 / Photoshop, 0.5mm 샤프펜슬
그림책도 좋아해서 가끔 그리는데, 이건 그중 한 컷입니다. 세세한 부분까지 묘사하면 그림의 인상이 딱딱해지므로 그림책에 들어갈 그림에는 브러시의 터치를 살려서 조금 러프하게 완성되도록 신경을 썼습니다.

Planter
59p / 오리지널 작품 / 2016년 / Photoshop, 0.5mm 샤프펜슬
깨진 화분을 정원 모양으로 꾸민 사진에 감화되어 그린 것입니다. 풀의 종류를 많이 그리느라 고생했습니다. 디오라마(diorama) 중에서도 특히 소규모인 것을 좋아해서 언젠가 직접 만들어 보고 싶습니다.

Mushrooms
60~61p / 오리지널 작품 / 2012년 / Photoshop, 0.5mm 샤프펜슬
버섯의 형태나 색채의 풍부함이 좋아서 그리고 싶은데 평소의 배경 일 등에서는 별로 그릴 기회가 없는 것이 아쉽습니다. 이 그림에서는 그다지 깊이 생각하지 않고 여러 종류의 버섯들을 전부 담아 보았습니다.

Cranberry
62~63p / 오리지널 작품 / 2016년 / Photoshop, 0.5mm 샤프펜슬
크랜베리의 수확 풍경을 좋아하는데, 많이 알려져 있지 않아 꼭 한번 보여 드리고 싶어서 그린 일러스트입니다. 단순한 구도이기 때문에 어안 풍으로 하여 그림에 변화를 주었습니다. 드론 등으로 촬영하면 재미있을 것 같습니다.

Overflow
64~65p / 오리지널 작품 / 2017년 / Photoshop, 0.5mm 샤프펜슬
홍콩 등의 밀집된 건물이 댐처럼 되어 있으면 재미있을 것 같다는 발상의 일러스트입니다. 실제로 이렇게 되면 장관이라고 생각하지만, 건물은 무너지지 않을까 걱정이 되기도 합니다.

Solitary
66p / 오리지널 작품 / 2017년 / Photoshop, 0.5mm 샤프펜슬
이것은 단독 건물의 덩어리를 그리고 싶다는 욕구에서 나온 일러스트입니다. 증축이나 개축을 거듭해 복잡한 요철(凹凸) 투성이가 된 건물은 어딘가 식물과 비슷하고 이상한 생명력이 느껴집니다.

Boundary
67p / 오리지널 작품 / 2016년 / Photoshop, 0.5mm 샤프펜슬
풍경이 거꾸로 되는 모티브는 2002년에 처음으로 그리고 나서 마음에 들어 여러 번 반복해서 사용하고 있습니다. 알기 쉬운 임팩트 있는 화면이므로 건물의 묘사 자체는 매우 세심하게 마무리하면서 원경일수록 빛을 강하게 하는 등 세세한 조정을 했습니다.

Crevice
68p / 오리지널 작품 / 2014년 / Photoshop, 0.5mm 샤프펜슬
이 그림은 이것을 본 사람에게 「잘 보면 무섭다」라는 인상을 남기는 것을 노리고 있습니다. SNS 시대에 그림을 보여 줄 때 인상의 강도가 중요합니다. 그림을 보는 사람에게 가볍게 긁힌 상처를 남기는 정도의 느낌으로 발상하면 좋은 그림이 될 것 같습니다.

Sunset
69p / 오리지널 작품 / 2016년 / Photoshop, 0.5mm 샤프펜슬
자연물로 스케일감이 있는 그림의 느낌을 표현하기 위해 다양한 시도를 해본 일러스트입니다. 그리는 것은 그리 많지 않아도 실루엣과 색조를 가다듬는 것만으로 그럴듯한 분위기가 됩니다. 산은 파타고니아의 피츠 로이를 참고했습니다.

CLIP STUDIO PAINT PRO 공식 가이드 북(MdN Corporation)
70p / 게재 일러스트 / 2018년 / CLIP STUDIO PAINT PRO
메이킹을 기사화하기 위해 러프부터 전부 CLIP STUDIO PAINT PRO를 사용하여 그렸습니다. 원경 · 중경 · 근경에 각각 볼 만한 장면을 만들고, 사이에 어두운 나무를 끼움으로써 공간을 신축적으로 보이게 하고 있습니다. 간단하지만 효과적인 기법입니다.

건축지식 2019년 10월 호(X-Knowledge Co.,Ltd.)
71p / 표지 일러스트 / 2019년 / Photoshop, 0.5mm 샤프펜슬
손으로 그린 퍼스 특집을 위한 건축계 잡지 표지로, 꽤 부담이 가는 일이었습니다. 건물의 방향이 제각각이고 노면도 커브와 언덕길의 조합으로 매우 복잡한 퍼스로 되어 있습니다. 멕시코의 탁스코 데 알라르콘이라는 거리를 모델로 한 가공의 풍경입니다.

아름다운 정경 일러스트레이션 매력적인 풍경을 그리는 크리에이터스 파일
(PIE International) 72~73p / 표지 일러스트 / 2017년 / Photoshop, 0.5mm 샤프펜슬
일러스트집의 표지 그림으로 「일상과 비일상」을 주제로 정취 있게 구성한 일러스트입니다. 앞의 풍경은 도쿄 츠키시마 주변, 안쪽 건물은 노이슈반슈타인성을 베이스로 배치하였습니다. 그림 평이 매우 좋았기 때문에 이번 화집의 표지 일러스트는 이 일러스트와 짝을 이루는 구성으로 해보았습니다.

코르누토피아(Hayakawa Publishing) © 早川書房／津久井五月
74~75p / 표지 일러스트 / 2017년 / Photoshop, 0.5mm 샤프펜슬
SF 소설의 표지용 일러스트입니다. 미래의 도쿄가 무대이므로 도청의 실루엣을 그대로 거대하게 만들거나 이야기의 열쇠가 되는 인물을 뒤표지의 뒤집어 보는 부분에 숨겨 보기도 하는 등 세세한 연구를 해보았습니다.

클래식 카메라 소녀+1(MAX.Co.,Ltd.)
76p 상 / 게재 일러스트 / 2012년 / Photoshop, 0.5mm 샤프펜슬
클래식 카메라가 테마인 일러스트집의 작품입니다. 대형 카메라는 대학 시절에 조금 만진 적이 있지만, 정확하게 그리려고 해서 꽤 힘들었습니다. 대형 카메라는 이동이 힘들기 때문에 그것을 그대로 그림으로 그렸습니다.

구성이문 제1문 그가 죽어야 했던 이유(ABHAR Tronc)
76p 하 / 잡지 게재 일러스트 / 2009년 / Photoshop, 0.5mm 샤프펜슬
기획이 도중에 엎어진 미소녀 게임용 일러스트입니다. 세기말 프랑스나 홍콩 뒷골목 등의 분위기가 혼연일체된 세계관으로, 이런 분위기의 게임은 계속 만들고 싶지만 좀처럼 실현되지 않습니다.

스노우 래빗(STAR SEAS COMPANY) © 伊吹契／星海社
77p 상 / 표지 일러스트 / 2017년 / Photoshop, 0.5mm 샤프펜슬
타임 리프(time leap)를 소재로 한 SF 소설의 표지 일러스트입니다. 3개의 시대를 모두 화면 속에 넣어 보았습니다. 주 무대가 되는 요시하라에 대해서는 여러 가지를 조사했기 때문에 그 후의 일에도 큰 도움이 되었습니다.

카르타그라 오피셜 팬북(Ohzora Publishing.Co.,Ltd.)

77p 하 / 게재 일러스트 / 2005년 / Photoshop, 0.5mm 샤프펜슬
미소녀 게임 팬북용으로 그린 일러스트입니다. 저도 아주 좋아하는 쇼와 초기를 무대로 한, 탐미적이고 엽기적인 비주얼이 매력적인 게임이므로 그 분위기가 전해질 수 있도록 조금 변칙적인 구도를 선택했습니다.

Afterword

후기

배경을 그리는 일을 하다 보면 그 역할의 중요성에 놀라게 됩니다. 예를 들어 게임이라면 첫 번째 거리에서도, 마왕의 성 앞에서도 주인공이 서 있는 그림은 똑같습니다. 변하는 것은 배경과 음악뿐, 이런 장면에서는 배경에 따라 장면의 분위기가 크게 좌우됩니다.

따라서 배경 작업에서는 단순히 풍경이나 건물을 그리는 것이 아니라 보는 사람의 감정에까지 작용하는 그림을 만드는 것이 중요합니다. 첫 번째 거리에는 밝고 아늑한 분위기, 마왕의 성 앞이라면 불안하고 긴장된 분위기 등 장면에 따라 적절한 연출을 해야 합니다.

그런 것을 한 장의 그림으로 표현할 수 있을까?라고 생각할 수도 있습니다. 하지만, 지금까지 접해 온 만화나 애니메이션이나 게임을 생각해 보면, 거기엔 분명히 배경의 힘에 의해 성립되는 장면이 있는 것을 알 수 있습니다.

테크닉편의 「그림을 그리는 5가지 방법」에서는 우선 즐겁게 그리는 것이 중요하다고 썼습니다. 그럼 어떻게 하면 즐길 수 있는가 하면 그건 「흥미를 가지는 것」이라고 생각합니다.

아무 생각 없이 그냥 퍼스 이론만 배울 수도 있겠지만, 조금이라도 흥미를 가질 수 있으면 즐겁게 퍼스 지식을 익힐 수 있습니다. 또 배경이 어떻게 그림에 도움이 되는지를 생각해 보는 것도 재미있게 배우는데 도움이 됩니다.

막상 배경을 그리려고 하면 이 세상의 모든 모티브에 대해 관심을 가져야 합니다. 만화나 애니메이션, 게임뿐만 아니라 영화나 그림, 음악에도 힌트가 있을 수 있습니다. 수학이나 심리학에 소양이 있으면 그만큼 유리할 수도 있습니다. 배경을 그리는 것으로 세상의 모든 요소가 흥미의 대상이 되고 무엇보다 즐겁게 계속하게 됩니다.

이 책에서는 그러한 흥미의 실마리가 되도록 배경의 테크닉을 가능한 한 단순화하고 즐겁게 이해하는 것을 중심으로 해설했습니다. 실제의 작품과 메이킹을 동시에 보면서 어떤 사상으로 그것들이 그려지고 어떤 기술이 거기에 도움이 되고 있는지 다양한 각도에서 즐길 수 있도록 연구했습니다. 즐겁게 그림을 그리는 데 도움이 됐으면 좋겠습니다.

마지막으로 이 책을 내는 데 도움을 주신 여러분과 이 책을 구입해 주신 여러분께 이 자리를 빌려 감사의 말씀을 드립니다.

일러스트를 위한 투시도법
요시다 세이지 작품집
& 원근법 테크닉

1판 1쇄 발행 2021년 11월 15일
1판 6쇄 발행 2023년 10월 6일

저　　자 | 요시다 세이지
번　　역 | 고영자
발 행 인 | 김길수
발 행 처 | (주)영진닷컴
주　　소 | (우)08507 서울 금천구 가산디지털1로 128
STX-V타워 4층 401호
등　　록 | 2007. 4. 27. 제16-4189호

ISBN | 978-89-314-6590-7
ISBN | 978-89-314-5990-6(세트)

YoungJin.com Y. 영진닷컴